O'r Da i'r Direidus

*I'r teulu, gyda diolch sbesial
i Mam a Dad am bopeth*

O'r Da i'r Direidus

Hunangofiant
Aled Hall
gydag **Alun Gibbard**

Argraffiad cyntaf: 2022
© Hawlfraint Aled Hall a'r Lolfa Cyf., 2022

Dymuna'r cyhoeddwyr gydnabod cymorth ariannol
Cyngor Llyfrau Cymru

Llun y clawr blaen: Cat Llewelyn
Lluniau'r clawr ôl: Robert Workman (2 a 6),
Matthew Williams-Ellis (5)

Rhif Llyfr Rhyngwladol: 978 1 80099 290 0

Cyhoeddwyd, rhwymwyd ac argraffwyd yng Nghymru gan
Y Lolfa Cyf., Talybont, Ceredigion SY24 5HE
gwefan www.ylolfa.com
e-bost ylolfa@ylolfa.com
ffôn 01970 832 304
ffacs 832 782

Cynnwys

Agoriad

'NAME PLEASE?'

Ro'n i yn yr Academi Gerdd Frenhinol yn Llunden a'r bobol tu ôl i'r ford o'm bla'n i ishe gwbod fy manylion. Hwn o'dd fy niwrnod cynta yno wedi ca'l fy nerbyn i ga'l hyfforddiant llais. Ro'n i'n teimlo lot yn dalach ac yn lletach nag o'n i mewn gwirionedd wrth gerdded mewn i gofrestru, a go brin bod fy nhra'd wedi twtsha'r llawr.

'Aled Jones,' medde fi nôl wrthyn nhw, yn ei tshesto hi go iawn!

A 'ma'u hwynebe nhw'n cwmpo a phawb yn edrych arna i'n syn! Rhyw olwg 'wyt-ti'n-tynnu-coes-fan-hyn-ne-jyst-bod-yn-*cheeky*' yn amlwg ar eu hwynebau. A ro'dd dryswch 'na rhywle hefyd. Ddim yn deall fy acen Gwmrâg i ma'n nhw falle, meddyliais wedyn i fi'n hunan. Er mwyn chwalu unrhyw ansicrwydd, dyma fi'n ateb 'to, yn ddigon awdurdodol.

'Aled Jones.'

'Really? Oh no, we can't have that.'

Fy nhro i o'dd e wedyn i ryw olwg ddod dros fy wyneb, ond un o syndod llwyr o'dd e yn fy achos i.

Beth yffach sy'n digwydd fan hyn? medde'r llais a o'dd yn mynd rownd a rownd yn fy mhen. Da'th yr ateb swyddogol, di-emosiwn yn ôl ata i'n ddigon cloi:

'There's already one Aled Jones who studied here, who has recorded and is performing. And he's Welsh too. We can't have two Aled Jones's. Have you got another name?'

Rhaid gweud, o'n i ddim yn disgwl i'r sgwrs fynd fel hyn. Ro'dd y dwrnod cynta'n mynd yn fwyfwy fflat gyda phob eiliad. Pwy fydde'n disgwl i'w enw ga'l ei gwestiynu – a gorfod wynebu'r posibilrwydd o ga'l ei wrthod hyd yn o'd? I grwt ffarm, ro'dd bod yn Llunden yn y lle cynta yn ddigon o gam tu fas i'r cyfarwydd cysurus, heb sôn am wynebu'r holi mowr 'ma. Ond o'dd e'n amlwg bod angen ateb arnyn nhw.

'Well, um, my middle name is Hall. Would Aled Hall be OK?'

'Perfect. Aled Hall it is! That's who you are.'

A dyna ni. Fe es i mewn i'r stafell fel Aled Jones a dod mas fel Aled Hall. Dyma chi stori bywyd y ddou ohonon ni.

Erwau'r ddôl

MA POBOL WASTAD yn gweud bo fi'n dod o Bencader. Ond gadwch i ni ga'l hwnna'n iawn ar y dachre. O Dolgran dw i'n dod, sydd ddwy filltir lawn tu fas i Bencader. Byd o wahanieth! Mae e wedi'i enwi ar ôl y nant sy'n llifo drwy'r pentre, y Grân. Yn y pentre ces i fy ngeni a fan'na dwi'n byw nawr, er bod gap mowr yn y canol pan nad o'n i'n byw 'na. Cewch glywed am hwnna nes mla'n, siŵr o fod.

Mab ffarm ydw i, unig blentyn Mam a Dad, Dafydd a Pauline. Ffarm can erw yw Rhiwlwyd, a godro sydd wedi bod yn digwydd 'ma ers y dachre. Fi'n credu taw'r nifer fwya o wartheg godro o'n ni'n cadw 'ma pan o'n i'n tyfu lan o'dd tua hanner cant. Ffermydd sydd rownd o'n cwmpas ni mor bell ag y gallwch chi weld hefyd. Ni reit mas yng nghefn gwlad yn Nolgran. Ro'dd y ffrind o'dd yn byw agosa ata i ryw hanner milltir i ffwrdd. Dyw'r term 'pobol drws nesa' ddim yn golygu cyment yn y pentre; gwahanol iawn i Bencader lle ma strydo'dd o dai ac ati. Dwy ffordd wahanol o fyw ochor yn ochor. Fel unig blentyn, ffrindie'r ardal, bois a merched y ffermydd a bois a merched Pencader o'dd fy mrodyr a'm chwiorydd i mewn gwirionedd.

O ardal Esgairdawe, Rhydcymere ma Dad yn dod. Ni'n perthyn i'r bardd Gwenallt, ond sa i'n siŵr ffordd. Falle mai o fan'na daw fy niléit mowr i mewn barddoniaeth. Dw i wrth fy modd yn ei darllen ac yn gwerthfawrogi'n fawr fy mod yn ffrindie gyda sawl bardd Cwmrâg. Alla i ddim sgrifennu barddoniaeth, cofiwch, heblaw am lunio penillion doniol pan o'dd y plant yn fach, ond sai'n siŵr beth fydde Gwenallt wedi meddwl am reini!

Da'th teulu Dad i ardal Pencader rhyw 80 mlynedd yn ôl, fy nhad yn un mlwydd oed ac yn dod 'ma gyda'i frodyr, Islwyn a John. Pan o'n i'n grwt, o'n i wrth fy modd yn clywed Dad yn adrodd stori dwrnod y symud. Da'th ei dad e, Willie Hall Jones, a'r stoc o'dd 'da fe yn Esgairdawe dros fynydd Llanllwni i Ddolgran, y ceffyle yn helpu i dywys ac i gadw'r da gyda'i gilydd. Anodd credu hynny heddi!

Rhyw bum mlynedd geson nhw ar y ffarm cyn da'th trasiedi i'w rhan. Bu farw mam fy nhad o TB, yn y dyddie cyn bo trinieth ar ga'l. Na'th Dad-cu byth ailbriodi. Cododd e'r tri crwt ei hunan, gyda help morwynion amrywiol. Magi Nant y Gragen o'dd un, o ochor draw'r cwm. A Ray Gilfach Fowr yn un arall, a hithe'n perthyn i ni. Sdim ishe gweud i Dad-cu dynnu'r bois mas o'r ysgol yn gynnar iawn er mwyn neud gwaith ffarm. Ma 'nhad wedi bod yn Rhiwlwyd ar hyd ei fywyd, heblaw am y flwyddyn gynta 'na! Ro'dd tair ffarm 'da dad-cu i gyd a Rhiwlwyd, ein cartre ni, o'dd y ffarm gynta.

Fy wncwl John a'th i ffarmo'r ail ffarm,

Blaencronafon, sy'n ffinio â Rhiwlwyd. Cadw da stôr a defed tac o'dd e. Falle bod ishe i fi ga'l stop bach fan hyn ac esbonio geirie sy'n ddierth i chi sydd ddim mor lwcus i ddod o gefndir ffarm! Da – sef gwartheg! – stôr yw'r da sy'n ca'l eu cadw am eu cig. Defaid tac yw'r defaid sy'n dod o ffermydd arall i'ch ffarm chi, yn y gaeaf fel arfer, pan do's dim da mas ar y caeau. Yn fwy amal na dim, ffarmwr o ardal wahanol fydd yn dod â defed tac i'r ffarm, a gyda Wncwl John, Trefor o Landeilo o'dd hwnnw. Ro'dd yr arfer 'na'n golygu bo ni'n dod i gwrdda cymeriade amrywiol o ardaloedd eraill a ro'dd rhwbeth cyfoethog iawn ynglŷn â hynny.

Ro'dd hefyd *small-holding* bach 'da Tad-cu, lawr ym Mhencader, sef Dolgader. Ar dir y tyddyn fe safai castell tomen a beili Pencader ganrifo'dd yn ôl. A'th Islwyn, y brawd arall, a'r hynaf, ddim i'r byd ffarmo. Ffaith ddiddorol am Dad ac Islwyn o'dd iddyn nhw briodi dwy chwaer, sef Mam ac Anti Mair. Gath Islwyn a Mair dri o blant, sef Berian, Lynwen ac Euros. Ma'n nhw wedi bod yn rhan amlwg o 'mywyd i ers y dachre. Islwyn a'i deulu a'th i Ddolgader i fyw. Dachreuodd ddarllen *metres* i'r Bwrdd Trydan a gweithio'i ffordd lan o fan'na. Ro'dd Dad yn rhentu'r tir yn Nolgader wrth Islwyn, a fanna bydden ni'n mynd bob haf â'r treshedi. Stop arall falle – treshedi yw lloi menyw sy'n ca'l eu magu i ddod yn wartheg godro. Bydden ni'n mynd â'r lloi o Rhiwlwyd i'r caeau yn Nolgader bob haf.

Anghofia i byth, wedi i fi adel gytre i fynd i astudio,

bod fy nghyd-fyfyrwyr yn ffili credu nad o'n ni fel teulu wedi bod bant am wylie gyda'n gilydd erioed. Pan o'n i'n grwt, bydden i'n mynd bant fan hyn a fan'co 'da Mam, neu ryw wncwl neu anti i garafán yn rhywle. Ond o'dd rhaid i Dad fod gytre'n godro, wrth gwrs.

Moment fowr i fi o'dd dod yn ddigon hen i neud y godro yn lle Dad, er mwyn iddo fe allu mynd bant gyda Chôr Meibion Caerfyrddin – i Ganada! Am bellter i fynd ar wylie cynta! Tra ro'dd e mas 'na, llwyddodd i drefnu cwrdda hen ffrind ysgol iddo o Bencader, sef Spencer Bidel. Symudodd Spencer mas i Ganada i ffarmo, rhwbeth o'dd wedi apelio at Dad o bryd i'w gilydd hefyd ond do'dd Mam ddim yn *keen* i fynd o gwbwl! Ro'dd Dad yn lico twlu hwnna mewn i ryw ddadl rhwng y ddou ohonyn nhw, yn enwedig os o'dd hi'n gwmpo mas go iawn. Ro'dd 'Symud i Ganada' yn fygythiad digon handi. Bydde'r llyfr 'ma yn itha gwahanol 'se fe wedi mynd, os bydde llyfr o gwbwl! Rhyw bum mlynedd wedyn, ro'dd Mam a fi yn canu yn Côr Llanpumsaint a cheson ni wahoddiad i fynd ar daith – i Ganada! Dad arosodd gytre tro 'na!

Ond sdim dowt 'da fi taw'r gwylie gore o'dd yr amser ro'n ni'n treulio ar ffermydd ein gilydd fel plant a phobol ifanc, yn enwedig yn ystod gwylie haf yr ysgol. Ro'dd chwech neu saith wythnos y gwylie yn hedfan heibio rhwng y seilej a'r gwair. Ro'n ni'n mynd o un ffarm i'r llall, i ware, i weithio ac i helpu fel o'dd ishe. A thrwy neud hynny, cwrdda cymeriade di-ri. Ro'dd dishgwl mowr at y lladd gwair – sdim ishe esbonio lladd gwair o's e? – a phawb yn cadw llygad mas am bwy fydde'r cynta i neud hynny. Ro'dd e rhwng dou ffarmwr bob blwyddyn. Gwilym Castell Du a Wil Nant y Gragen. Ro'dd Gwilym wastad ishe bod y cynta, a phan o'dd Wil yn gweld Gwilym wrthi, o'dd e mas yn syth. Ro'dd ffarm Gilfach Fowr yn ei gadel hi tan y funud ola. Siŵr bo nhw moyn gwd crop a chyment o fêls ag y gallen nhw. Ro'dd ffarm Gelli Deg yn un arall ble o'n i'n dwli mynd. Sdim ots pa ffarm o'dd hi, yn fwy amal na dim ro'n i o'r golwg dan y gwair, hyd yn o'd pan o'n i'n sefyll lan!

Beth o'dd yn bwysig o'dd y tynnu at ein gilydd, y cyfeillgarwch, yr undod yn y gymuned. Ro'dd hwnna'n werthfawr tu hwnt. Dyddie'r bêls bach, poteli seidir a Peardrax. Dyddie staco bêls i'r grab ga'l codi nhw ar y treilyr. A 'na lle bydde'r menywod yn cyrraedd wedyn â llond basgedi o fwyd i ni gyd, towelion dros y brechdanau, a phawb yn casglu dan goeden i fyta. Os o'dd modd eishte mewn i fyta, 'na le bydde rhyw wyth i ddeg ohonon ni rownd y ford – y cryts ifanc yn byta gynta, a wedyn y dynon. Moment fowr o'dd bod yn ddigon hen i fyta'n ail! Dyna ddyddie'r cordyn bêls. Sdim ishe cordyn heddi i'r bêls mawr modern. Ond 'na chi'r belt gore gallech chi ga'l yn cefen gwlad, a'r hen fois i gyd yn eu defnyddio nhw i gadw trwser neu legins lan! Jiw, ma'n teimlo fel 'se fi'n disgrifio bywyd hollol wahanol yn bell, bell nôl yn niwl amser, ond dyw e ddim mor bell nôl â 'na!

Pryd hynny o'dd hi'n gallu cymryd wthnos neu bythefnos i neud y seilej – dachre'r dwrnod trwy odro'n gynnar y bore, mas i'r caeau, nôl i odro diwedd y dydd a wedyn nôl mas i'r caeau tan ei bod hi'n tywyllu. Ma bois yn dod i Rhiwlwyd nawr i neud y seilej a ma'n nhw wedi benni mewn dwy awr! Edrychwch chi ar urhyw iet i gaeau ffarm heddi a welwch chi bo nhw ddwy waith mwy llydan nag o'n nhw. 'Na chi arwydd clir bod peiriannau ffarmo heddi gyment yn fwy nag o'n nhw. Ond nid 'na'r unig newid. Pan ma *contractors* yn dod mewn a wedi benni mewn llai na bore, dyw hynny ddim byd tebyg i grŵp o ddynon, menywod a phlant yn dod at ei gilydd i fynd o ffarm i ffarm ac yn cymryd drwy wylie'r haf i neud hynny. Fi'n falch bo fi wedi'i cha'l hi fel 'nes i, ma'n rhaid gweud.

Dyna pryd ro'dd defod hanfodol bwysig ym magwraeth plant ffarm yn digwydd hefyd. Anghofia'i byth, ar ôl ca'l gwared â llwyth o wair yn Rhiwlwyd, gofyn i Dad a allen i ddreifo'r tractor nôl i'r ca'. 'Na beth o'dd gwefr pan o'n i'n ddeg oed! O fan'na mla'n do'dd dim stop arna i! Ro'n i'n dreifo popeth gallen i. Dim ware (hyd yn o'd dreifo Mam lan y wal)!

Ro'dd e'n boenus iawn i fynd i'r ysgol os o'dd gwaith fel hyn ar y ffarm. Hunlle o'dd i'r seilej ddachre ond finne'n dal yn yr ysgol. Bues i'n fachgen da yn mynd i'r ysgol er gwaetha hynny. Wel, heblaw am un dwrnod fi'n cofio'n glir. Un bore, 'nes i gydio yn y bag ysgol fel arfer, a'r brechdane ynddo fe, a bant â fi i'r ysgol. Ond, pan o'n i mas o olwg y tŷ, 'nes i jwmpo mewn i'r ca' a chwato yn y clawdd. Fan'na bues i drwy'r dydd, yn watsho pawb yn gweithio yn y caeau o'dd reit ar bwys. Welodd neb fi, a cherdded nôl lawr yr hewl at y ffarm wedyn ar ddiwedd y dydd, fel o'n i wastad yn neud. 'Na beth o'dd joio. Ro'dd eishte a gweld pawb wrthi yn ddigon o ddiléit ac yn neud lan rhywfaint am beidio ca'l bod gyda nhw.

Caniadaeth y Cysegr
a llygoden wen

I YSGOL GYNRADD Pencader es i, a'r adeilad ar dir o'dd yn ffinio gyda thir fy wncwl yn Nolgader. Ro'dd hwnna'n handi pan o'dd Dad yn dod â'r treshedi lawr i'r caeau yn yr haf a finne'n ecseited reit i weld Dad yn dod lawr â nhw. 'Nes i joio pob munud o ddyddie ysgol! Syndod arall i ffrindie o'dd 'da fi yn Llunden, a manne eraill tu fas i Gymru, yw nad o'n i wedi siarad gair o Saesneg nes bo fi tua saith, wyth oed. Ro'dd lot yn gwrthod credu hynny, ond ma fe'n wir. A dim ond dachre defnyddio Saesneg 'nes i pryd 'ny achos bod e'n troi'n bwnc yn yr ysgol. Do'dd neb yn yr ysgol o'dd ddim yn dod o'r ardal ac yn siarad Saesneg gytre. A hyd yn o'd wedi i ni ddachre 'da'r Saesneg, fydden ni byth yn ei siarad ar yr iard amser chwarae, na tu fas i orie ysgol.

Cyn i fi adel yr ysgol fach, o'dd pethe wedi symud mla'n go iawn a gaethon ni fws mini i fynd â ni i'r ysgol. 'Na beth o'dd taith rownd y ffermydd i bigo pawb lan bob bore! Cyn hynny, ers dyddie cynta ysgol, bydden i'n ca'l lifft i'r ysgol 'da'r postman, wel, postfenyw a bod yn gywir. 'Na chi gymeriad! Ford Escort MK1, coch o'dd 'da Deca – tipyn o gar y dyddie 'na. Ro'dd ei hache hi yn nheulu crand y Mansels a o'dd yn byw yn y Manor yn ardal Maesycrugie. Ro'dd hi'n pigo fi lan ar ben hewl a bant â ni. Stopo wrth y tai ar hyd y ffordd a finne'n jwmpo mas i ddilifro'r llythyron. Fe dda'th hi'n ffrind mowr i ni fel teulu a buodd hi'n gefnogol iawn i fi 'da'r canu. Cafodd hi fywyd digon caled, a brwydro canser yn rhan o hwnna. Ro'dd hi'n bendant yn lico'i drinc! Ma 'da fi gof plentyn o fynd mewn i'r car droeon yn y bore a smelo rhyw wynt od, anarferol. Yn sicr, do'dd e ddim yn rhwbeth bydden i wedi gwynto gytre, gan fod neb yn yfed yn y tŷ. Fi'n deall erbyn hyn wrth gwrs iddi ga'l drinc bach neu ddau amser brecwast, a wedyn mynd â fi i'r ysgol. Ond do'dd hynny byth yn ca'l ei styried yn broblem pryd hynny. Ro'n i'n mynd i'w gweld hi ar ddiwedd ei hoes, a hithe mewn byngalo ym Mhencader erbyn 'ny. 'Na le bydden i, yn ishte ar y gwely wrth ei hochor, a'r ddou ohonon ni'n rhannu straeon nôl a mla'n heb stop.

Un cymeriad ymhlith nifer yn yr ardal o'dd Deca a phan dw i'n gweud ardal, dwi'n golygu Dolgran fel arfer a wedyn Pencader. Pentre bach iawn yw Dolgran, rhyw hanner cant sy'n byw 'ma, ond ma 'da fe'i gymeriad ei hunan. Ar un adeg, ro'dd côr yn y pentre, credwch neu beidio. Pan o'n i'n blentyn, ro'dd gof gyda ni ar waelod y rhiw, sef Tomi Bryant a ro'dd mynd lawr 'na i'w weld e'n pedoli yn gyffro mowr. Jac

Wilson o'dd yn cadw'r siop 'ma, ac un o'r cymeriade mwyaf lliwgar o'dd Dai Sâr! Collodd Dai ei wraig yn ifanc iawn a buodd e'n byw wrth ei hunan weddill ei fywyd. Ro'dd hen dractor 'da fe, pwli a belt mowr yn troi llif anferth o'dd yn sownd iddo fe. Ro'dd pawb yn dod o bell at Dai er mwyn ca'l gwaith wedi neud 'da'r llif 'ma. Ond do'dd Dai ddim yn gweld lot, ac o'dd e'n gwisgo sbectol dywyll! Ro'dd e'n teimlo wrth wynt y blêd faint yn rhagor o'dd 'da'r llif i fynd ar hyd y pren. Ro'dd yn werth ei weld yn gwitho trwy reddf. Boi bron yn ddall yn trin llif yn sownd i dractor i dorri darnau mowr o goed. 'Na'r peth rhyfedda weles i erioed. Ro'n ni gyd yn y ffermydd o gwmpas bwthyn Dai yn dachre becso pob tro ro'n ni'n clywed y tractor yn tano lan. 'Gobitho bydd Dai yn iawn' o'dd y weddi dan anal pawb. Ond ro'dd Dai wastad yn ocê.

Bydde Mam yn mynd i siopa dros Dai pob dydd Gwener. Dyna'r dwrnod hefyd pan bydde fy hen Wncwl Ifan, brawd Dad-cu, yn dod i'n gweld ni bob wthnos o Cwmann. Ro'dd Ifan a Dai yn bartners mowr. Bydde Mam yn mynd â nhw mewn i Bencader, bant â nhw i dafarn y Beehive, tra bod Mam yn neud y siopa. Cwpwl o orie wedyn, bydde'r siopa wedi neud a Dai ac Ifan yn dod gytre'n gobs mawr! (Nid term ffarmo yw gobs. 'Na beth ni'n gweud rownd ffordd hyn os oes rhywun wedi ca'l gormod i yfed!)

O'dd dim lot o deledu i ga'l pan o'n i'n blentyn. Nid dim ond achos bo ni mas yn y caeau bob awr o'r dydd, ond ro'dd e'n itha job i ga'l llunie teledu digon da yn yr ardal. Ro'n ni gyd yn gorfod codi eriel uchel iawn.

Ro'dd hyn yn fwy o broblem i bobol fel Dai am ei fod e'n byw lawr yn y pentre, o dan ein ffarm ni. Ond do'dd dim byd yn dywyll i Dai (esgudowch y *pun*!). Lan â fe ar ysgolion i godi eriel tua hanner can troedfedd o'r llawr – a fe'n gweld braidd dim. Am wn i, allwch chi ddim bod ofon beth chi ddim yn ei weld!

Pan o'n i'n mynd 'da Mam ar ddydd Gwener, ro'n i'n dwli mynd mewn i fwthyn Dai. Ro'dd e fel mynd i un o fythynnod Sain Ffagan. Anghofia'i fyth wynt y tân yn y grât. Yn y cornel, y teledu. A'r un peth o'dd mla'n 'da fe bob tro ro'n i'n galw – yr eira gwyn o'dd yn arwydd nad o'dd e wedi tiwno'r un sianel mewn i'r teledu! 'Be chi'n watsho heddi, 'te, Dai?' bydden i'n gofyn. 'W, sai'n siŵr ond ma gwd *picture* 'da fi heddi!' o'dd yr ateb bob tro, druan ag e!

Os nag o'dd lot o deledu ar ga'l, do'dd dim problem 'da gwasanaeth radio. Ac ma rhaglen *Caniadaeth y Cysegr* yn aros yn glir yn fy nghof ers plentyndod. Ma'n rhieni i'n dal i weud y bydden i'n gwrando ar yr emynau ar y radio, yn dair, pedair oed, ac yn harmoneiddio'n berffaith. Rhaid sôn am Dad-cu fan hyn hefyd. Fe roiodd yr enw Hall i fi, ond yn fwy na hynny, ro'dd e'n ganwr heb ei ail, yn fariton penigamp. Ro'dd e wastad yn rhyfeddu bo fi'n gallu canu'r rhannau amrywiol i bob emyn: bas, alto, tenor, yn ddi-ffael. O'dd Dad-cu wastad yn gweud 'canwr fydd hwn, bois bach, sdim dowt 'da fi'.

Ro'dd mynd i'r capel a Steddfod capel yn ddou beth na'th helpu'r gallu canu i ddatblygu a throi geirie Dad-cu yn realiti. I'r Tabernacl bydden ni'n mynd, ym Mhencader. Ma 'da'n fam hen gasét o fi'n canu yn y festri pan o'n i'n bedair blwydd oed. 'Na chi brofiad hollol bisâr yw gwrando nôl arnoch chi'ch hunan yn canu'r oedran 'na! Rhyfedd meddwl beth yw'r cysylltiad rhwng yr Aled 'na a fi nawr. Yn ogystal â bod mewn côr, ro'dd Dad yn dwli canu cerdd dant hefyd, ac yn aelod o barti cerdd dant yn ardal Llandysul, sef Gleisiaid Teifi o dan arweinyddiaeth yr enwog Catherine Watkin. Ro'dd Mam yn rhan o grŵp lleol o'r enw Tannau Tweli a o'dd yn perfformio mewn nosweithie llawen ac ati. O'n i'n mynd 'da'r ddou o'n nhw i'w cyngherddau amrywiol o ddyddie'r ysgol gynradd. A dyna pryd ddatblygodd fy *speciality act*! Ro'n i'n gwisgo cot fowr, a Mam wedi neud twll mewn un poced, er mwyn neud lle i goes brwsh a shwsen ar ei ben e i berfformio 'Jake the Peg'. I'r rhai sy'n rhy ifanc, cân o'dd 'Jake the Peg' dda'th mas yn 1965, cân gomedi am ddyn â thair coes. Ro'dd y cymeriadu doniol wedi dachre mor gynnar â 'na, ynghyd â pherfformio o fla'n cynulleidfa!

Os taw wrth Dad-cu ochor Dad dda'th y canu, yna o'r Dad-cu arall dda'th yr ochor gomic yndda i. Ro'dd Dan Richards, Dat i fi, yn dod o ardal Llanllwni a Llanybydder. Wrth weld fy ngyrfa i'n datblygu, a'r lle sy'n cael ei roi i gomedi a direidi, ma pobol yr ardal yn dal i weud, 'Jiw, bydd Dan Rich byw byth tra bo ti ar hyd lle!' Ro'dd e wrth ei fodd yn neud triciau majic a ro'dd hynny wrth fy modd i fel plentyn wrth gwrs. Yr unig wylie ro'dd e a'n fam-gu yn ca'l bob blwyddyn o'dd trip i Blackpool am fod Dat ishe prynu trics newydd! Ro'dd e'n lico creu anrhefn llwyr ar ambell drip Ysgol Sul. Fi'n cofio ishte ar fws Blossom ar un o'r tripie 'ma, ac yn sydyn reit, 'na beth o'dd sgrechen! Y menywod yn arswydo am fod Dat wedi cerdded ar hyd y bws â llygoden fach wen (esgus) ar ei fys bawd, yn jocan bod problem llygod ar y bws!

Gair am Mam-gu, neu Mam Llanybydder, fel o'n i'n galw hi. Ro'dd hi o ardal Llangamarch, ym Mhowys. Do'dd dim Cwmrâg 'da hi. Pan gwrddodd Dat a hi do'dd y teulu ddim yn fodlon iddi dod mewn i'r tŷ nes o'dd hi'n dysgu siarad Cwmrâg. Fe na'th, ond Cwmrâg digon doniol a lletchwith o'dd ganddi. Fe gafon nhw saith o blant, chwech o ferched, gan gynnwys efeillied (Anti Ann ac Anti Mair). Ro'n nhw i gyd yn byw mewn tŷ cownsil. Ro'dd hwnna'n fwy o broblem pan dda'th yr efeillied. Do'dd dim arian na lle ar gyfer dou grud iddyn nhw, felly yn dreiriau gwaelod y *chest of drawers* ro'n nhw'n cysgu. Digon rhwydd o'dd cau'r dreiriau os o'n nhw'n llefen a sgrechen! Ro'dd Dat yn un o efeillied. Unig blentyn ydw i, ond ma efeillied 'da fi hefyd.

Crwt o'dd y cyw melyn ola a chafodd hwnnw ei sbwylio fel yr yffarn! Ma Mam yn dal yn cario'r creithie emosiynol achos bod y babi newydd wedi ca'l beic yn itha cloi a dim un o'r chwech merch erio'd wedi ca'l un!

Nôl at y capel a'i steddfod. Nid dim ond y canu ddatblygodd fan'na. Ro'dd cystadlaethau adrodd limeric a darllen darn heb atalnodau yn lot fowr o sbort ac eto'n cyfrannu at gymeriadu pobol ddireidus neu ddigri. Ro'dd fy mam yn dda iawn yn sgrifennu limrigau ar gyfer y cystadlaethau 'ma. A 'na chi sbort o'dd y gystadleuaeth canu mas o diwn! Ro'dd hwnna gyda'r peth anodda dwi wedi gorfod neud! Os chi'n gallu canu, ma canu mas o diwn yn anodd yr yffach!

Fi ddim yn gwbod ble bydden i heb dyfu lan mewn ardal yn llawn cymeriade a phawb yn nabod ei gilydd. Does dim dwywaith bod hynny wedi bod yn ddylanwad mowr i fi yn fy ngwaith opera. Ma lot o'r gwaith fi wedi neud dros y blynydde diwetha wedi golygu chware cymeriade diriedus, doniol – fi ddim cweit yn siŵr pam, cofiwch! Pan y byddwn ni gyd fel cast yn cwrdda ar ddwrnod cynta unrhyw opera, ma 'na drafod beth yw'r syniad y tu ôl i ddehongliad y cyfarwyddwr. Bydd e'n awgrymu ambell bwynt ynglŷn â siwd ma fe'n gweld natur a phriodoledde'r cymeriade unigol. Pan glywa' i ddisgrifiad o'r cymeriad fi fod i chware, ma'n feddwl i'n mynd nôl yn syth at bobol Dolgran a Phencader. Bydd un o'r cymeriade dwi wedi nabod ers yn blentyn yn dod i'r meddwl wrth ddarllen sgript neu glywed y cyfarwyddwr. Dyna beth sy'n helpu fi wedyn i greu'r cymeriad dw i fod i chware mewn unrhyw opera. Ma hwnna'n rhwbeth gwerthfawr iawn.

Er enghraifft, cymeriad lleol arall o'dd Kenny. Ro'dd e'n neud dim byd ond cerdded ar hyd strydo'dd a hewlydd yr ardal o fore gwyn tan nos. Am ryw reswm, ro'dd goleuadau stryd yn creu tipyn o broblem iddo fe. Ro'n nhw'n ei fygwth ac yn ei herio ac yn ei ddrysu. Do'dd e ddim yn gallu delio 'da'r gole 'na o gwbwl, a ro'dd e wastad yn gweud bo nhw'n chware â'i feddwl e. Fi wedi meddwl cryn dipyn am beth o'dd yn mynd trwy feddwl Kenny pan o'dd e'n teimlo fel'na. Beth sy'n digwydd? Beth yw'r meddylie? Beth yw'r effaith? Dw i wedi dod â'n nehongliad i o'i gymeriad e i rai o operâu mawr y byd. Un cymeriad fi wedi ware, er enghraifft yw Vashek, yn *The Bartered Bride* a hynny fwy nag unweth. Ma Smetana, y cyfansoddwr, yn disgrifio'r cymeriad fel un heb fawr ddim o addysg ac atal dweud arno, tamed bach fel y *village idiot* slawer dydd. Ma pethe'n ca'l effaith arno sydd ddim yn ca'l effaith ar y rhan fwya ohonon ni. Grêt o gymeriad o'i chware'n iawn, ac i fi, ro'dd ei chware'n iawn yn dibynnu ar nabod rhai o unigolion fy ardal.

Fi'n cofio'n iawn astudio'r nofel *Un Nos Ola Leuad*, Caradog Prichard, i Lefel O yn yr ysgol. Ma'r llyfr hynny yn llawn cymeriade â ffordd wahanol o feddwl, probleme iechyd meddwl yn amal, cymhlethdode iechyd meddwl sy'n fwy cyffredin mewn cymdeithas nag y'n ni'n barod i gyfadde. A'r cyfan, yn y stori, yn digwydd dan olau'r lleuad. Dylanwad tywyll y golau mowr. Wrth ddarllen y nofel, chi'n gallu clywed Caradog Prichard yn gofyn i'w hunan, 'Beth sy'n mynd trwy feddwl yr unigolion 'ma?' A 'na beth sy'n mynd trw'n feddwl i wrth sylwi ar bobol o 'nghwmpas i ac wrth greu cymeriad ar lwyfan. Dwi wedi treulio fy mywyd yn sylwi ar bobol cefn gwlad gytre a rhannu yn eu profiadau o fywyd. Do's byth elfen o feirniadu yn y broses 'ma, dim ond treial deall a gwerthfawrogi eu profiade nhw.

Ond fi'n neud e mewn manne eraill hefyd. Ar y Tiwb yn Llunden er enghraifft. Bydd unigolyn yn dal fy llygad oherwydd rhyw *habits* anarferol, neu rwtîn penodol wrth ishte ar y daith, neu beth bynnag. Bydda i wedyn yn astudio nhw'n fanwl. Beth ma'n nhw'n neud? Pam ma'n nhw'n neud e? Ma'n wir i weud bo fi wedi aros ar y Tiwb yn bell ar ôl fy stop i, er mwyn gallu cadw mla'n i watsho pobol. Ma'n ffordd i roi eich hunan yn sgidie pobol eraill, sydd yn brofiad bywyd gwerthfawr, heb sôn am brofiad proffesiynol gwerthfawr i ganwr. A wedyn, ar ôl dehongli a chware'r cymeriad, ma 'da fi lot well dealltwriaeth ac amgyffred o unigolion o 'nghwmpas i ynghyd â throeon trwstan eu bywyd nhw.

Sdim dowt 'da fi bod y reddf 'na, y ffordd yna o weithio, wedi ei dylanwadu'n drwm gan ffynnon gyfoethog fy milltir sgwâr. Odi, ma pobol un cornel bach o gefn gwlad Cymru wedi fy helpu i i greu cymeriade ar lwyfannau opera dros y byd, ond ma'n nhw hefyd wedi bod yn rhan bwysig o pwy ydw i fel person, fy nghymeriad i hefyd. Allwch chi ddim rhoi prish ar hwnna. Fi'n gobeithio i'r mowredd na fydda i'n dod i fan lle nad ydw i'n gallu cofio'r bobol hyn a'u straeon.

Pac-Man a *chips*

DA'TH NEWID BYD i fois a merched yr ardal a finne yn fy arddege cynnar. Symudodd pobol o'r tu fas i Bencader mewn i'r pentre. Da'th un teulu o ardal Cribyn ger Llanbed, a chafon nhw groeso mowr yn y pentre achos fe agoron nhw siop *chips*! Da'th eu mab nhw a finne'n ffrindie yn yr ysgol fowr, Howard Chips. Nid y *chips*, y pysgod a'r sosejys o'dd yr unig atyniad yn 'u siop nhw. Rhoion nhw beiriannau Space Invaders a Pac-Man mewn 'na. Wel, 'na beth o'dd joio! Do'dd bois a merched yr ardal ddim wedi gweld siwd beth cyn 'ny. Ro'dd orie'n mynd heibio yn chwarae'r geme 'ma a do'dd hi ddim yn hir cyn bo ni'n datblygu cystadleuaeth rhyngddon ni i weld pwy alle ga'l y sgôr ucha.

Sonies i am ysgol fowr. Wel, 'nes i baso'r 11+. I safio chi whilo yn y llyfre hanes, yr 11+ o'dd yr arholiad ar ddiwedd ysgol gynradd i benderfynu i ba ysgol uwchradd byddech chi'n mynd. Os paso, mynd i Ysgol Ramadeg. Os ffeili, mynd i Ysgol Uwchradd. Yn ein hardal ni, ro'dd hynny'n golygu mynd i Gastellnewydd Emlyn os o'ch chi'n ffeili ac i Landysul os o'ch chi'n paso. Fi'n cofio'r arholiad 'na fel ddoe! Fi'n cofio lle o'n i'n ishte wrth ei neud hi, yn nosbarth y Sgwlyn yn edrych mas ar lle o'dd yr hen gastell. Fi'n cofio ambell gwestiwn hefyd, fel pa un yw'r 'odd one out' mewn rhes o siape. Ac un arall o'dd 'Os oes tri afal gyda chi yn un poced trwser, a dou afal yn y boced arall, beth sydd gyda chi?' A'r ateb rhodes i o'dd 'trwser rhywun arall'!

Gan i fi baso, i Landysul â fi wedyn, i'r Ysgol Ramadeg yno. 'Na beth o'dd cam mowr! I ddachre, ro'n i'n dala bws ysgol ar ben hewl, a honno'n llawn plant yn mynd i Landysul a Chastellnewydd Emlyn. Ro'n ni'n rhannu bws. Ro'dd bws Bancyffordd yn mynd â ni trwy hewlydd cefen gwlad, ar daith a o'dd yn mynd â fi dipyn pellach o gytre nag o'n i'n arfer ag e. Yn fwy amal na dim, ro'dd ysgolion gramadeg ar gyfer bechgyn neu ferched yn unig, ond cymysg o'dd Ysgol Llandysul.

Ond wrth newid byd, do'dd dim newid o gwbwl o ran diddordeb mewn cerddoriaeth. Cydies i yn hwnna'n syth ar ddachre'r Ysgol Ramadeg, a dod o dan ddylanwad mowr June Lloyd Jones, neu Ffani Canu fel ro'n ni'n ei galw hi! Ro'dd hi'n byw yn Aber-porth. Ro'dd hi'n ymwybodol ohona i cyn i fi ddachre'r ysgol, trwy fy ngweld yn steddfode a digwyddiade'r Urdd. Felly fe nath hi roi lot o sylw a chefnogaeth i fi, ma'n rhaid gweud. Ro'dd hi'n strict iawn, a chanddi ffordd draddodiadol, hen ffasiwn bron, o ddysgu. Ond ro'dd hi'n gwbod siwd o'dd fy nhrin i, dim dowt! Hi o'dd yn ca'l fi i neud y cyngherddau amrywiol, yr unawdau fel yr unawd bechgyn yn yr Urdd a'r Genedlaethol. Wedi peth amser yn yr ysgol, ddachreuon ni ein grŵp ein hunain, fi a phedair o ferched, a Lisa, merch June Lloyd Jones yn un ohonyn nhw. 'Emrallt' o'dd enw'r grŵp a ro'n ni'n mynd rownd i neud cyngherdde lleol gyment ag y gallen ni. O'n i ar y *keyboard* ne'r drwms, Lisa Lloyd Jones yn ware'r ffliwt, a Cerian Rees yn canu gydag Elaine Phillips a Catrin Wyn Davies. Ro'n ni'n sgrifennu lot o ganeuon ein hunen, nid dim ond canu rhai pobol eraill. Ro'dd y clasuron Cwmrâg i gyd 'da ni, yn enwedig caneuon Huw Chiswell!

Dachreues i gyfeilio rhywfaint yr adeg 'ma hefyd, cyfeilio i gore'r ysgol fel arfer pan ro'n nhw'n cystadlu. Dealles i yn itha cloi na fydden i'n gyfeilydd! Gallen i'n rhwydd fod wedi dachre yn yr ysgol newydd 'ma a cha'l fy nhemtio gan yr holl bethe eraill o'dd yr ysgol yn eu cynnig. Galle'r gerddoriaeth fod wedi mynd naill ochor yn rhwydd. Ond na'th June Lloyd Jones yn siŵr na fydde hynny'n digwydd!

Un o'r pethe newydd 'ny o'dd rygbi. Ffwtbol o'dd hi drw'r amser yn nyddie ysgol gynradd a 'nes i ddim ware rygbi tan ysgol fowr. 'Nes i wir joio rygbi, rhaid gweud. Ddes i'n ddigon da i ga'l ware i dîm yr ysgol yn itha cloi. Ond, i fod yn onest, do'dd dim lot o siâp arna i! Un rheswm am hynny yw bo fi'n *late developer*, fel ma'n nhw'n gweud! Ro'dd y bois eraill yn saethu lan o ran taldra a maint a finne'n aros yn grwt bach.

Ond, rhyfedd i weud, cafodd hwnna ddylanwad ar y canu hefyd. Ro'n i'n *boy soprano* reit trw'r Ysgol Ramadeg i gyd bron. Na'th fy llais i ddim newid o gwbwl. A phan newidiodd e, yn hwyr yn y dydd, a finne tua 16 oed, 'nes i ddim cymryd hoe o'r canu o gwbwl, fel ma pobol yn gweud y dylech chi neud. Pan ma'r llais uchel yn mynd a'r un dyfnach yn cyrraedd, dylech chi orffwys eich llais, medd rhai, er mwyn rhoi amser i'r llais newydd setlo a datblygu. Ond 'nes i ddim. Es i'n syth o fod yn soprano i ganu fel tenor mewn core ac ati. 'Na pryd 'nes i gwrdda Islwyn Evans a Chôr Ieuenctid Dyffryn Teifi. Ma Islwyn wedi bod yn ddylanwad pendant arna i, fel ma fe wedi bod ar gyment o gantorion ifanc eraill. Côr arall 'nes i ymuno ag e o'dd Côr Llanpumsaint o dan arweiniant Gwyn Nicholas. Dilyn Mam 'nes i fan'na. Ro'dd hi'n aelod o'r côr a ro'n i'n mynd i ymarferion gyda hi pan o'n i'n blentyn. Yn yr un ffordd, ro'n i hefyd yn joio mynd gyda Dad i ymarferion Côr Meibion Caerfyrddin pan ro'n i'n grwt. Fan'na 'nes i gwrdda Andrew Rees, mab aelod arall i'r côr, sydd hefyd erbyn hyn yn denor proffesiynol yn y byd opera. Ac felly pan ddethon ni'n ddigon hen, fe ymunon ni â'r côr gyda'n tadau.

Rhyfedd meddwl petai'r rygbi wedi cydio yndda i go iawn, a tase tamed bach mwy o siâp arna i ar y cae, fydde dim amser wedi bod i ymuno â chore a bydde bywyd yn itha gwahanol! Dwi'n dwli ar rygbi hyd heddi, ond gwylio fydda i o gyfforddusrwydd y gadair freiche, neu yn y stand yn Parc y Scarlets o bryd i'w gilydd.

Ro'dd camu i'r ysgol fowr yn newid, wrth gwrs, fel dwi wedi gweud. Ond da'th newid ar fyd arall tua'r un pryd. Fe dda'th pentre Pencader yn fwy pwysig yn fy mywyd. 'Nes i sôn am y siop *chips* gynne. Sdim dowt bod hwnna wedi tynnu ni fois o'r ardaloedd cyfagos i mewn i'r pentre ei hunan. Ond ar ben hynny, ro'dd sgwâr y pentre'n atynfa hefyd, er bo ni'n neud dim byd 'na ond hongian o gwmpas. Heb os, ro'dd ffocws bywyd yn newid. Ro'dd mwy a mwy o bwyslais ar dreulio amser ym Mhencader yn lle Dolgran. O'n i'n mynd yn anesmwyth iawn os o'n i gytre, yn meddwl bod fy ffrindie i i gyd ym Mhencader, a ro'dd rhaid mynd lawr 'na i weld beth o'dd yn digwydd – rhag ofn bo fi'n colli mas!

Heblaw am atyniad y siop *chips*, ro'dd dwy ford snwcer maint llawn yn hen neuadd y pentre. Ro'dd hwnna'n beth anarferol iawn ac yn ffordd gwbwl wahanol o baso'r amser i chware Pac-Man. Ro'dd parc yn y pentre a gwd ca' ffwtbol. Y Ffarmers a'r Beehive o'dd y ddwy dafarn – ar lafar yn lleol, ma'r Beehive yn troi yn ddou air! Cymry o'dd yn rhedeg y Ffarmers, ond am flynydde mowr, menyw o Rwsia o'dd yn cadw'r Beehive. Ro'dd Dosha'n yffach o gymeriad. Briododd hi Sais o'r enw John Stafford a symud i Bencader. Buodd e farw flynydde yn ôl, ond cadwodd hi mla'n i redeg y dafarn am sawl blwyddyn. Ro'dd e wastad werth ei chlywed hi'n siarad Cwmrâg. Fe na'th hi ymdrech go iawn i ddysgu'r iaith ware teg. Buodd hi'n ymladd am flynydde i symud rhai o aelode ei theulu i Gymru o Rwsia am eu bod nhw'n ca'l amser digon anodd yn eu gwlad eu hunen. Llwyddodd hi yn y diwedd ac fe symudodd ei theulu i fyw mewn tŷ o'dd hi wedi prynu iddyn nhw ar y sgwâr. Ac er bo

Dosha wedi'n gadel ni, ei theulu sy'n cadw'r Beehive o hyd. Ffaith fach ddiddorol i chi, pan dwi'n astudio rôl Rwsieg mewn opera, dwi wastad yn mynd at y teulu bach ac yn mynd trwy'r Rwsieg gyda nhw, sy'n help mowr iawn i fi.

O'dd wir, ro'dd bywyd yn fy arddegau yn dachre mynd yn fwy cymhleth o lawer. Dachre ysgol fowr a phob her a chyfle dda'th 'da hwnna; bywyd cynhyrfus, cyffrous bois a merched yr un oedran â fi yn ffindo mas ynglŷn â bywyd ar y strydo'dd. Pencader, ac yn gefen i'r gwbwl, y bywyd yn Nolgran o'dd yn aros yr un peth, lle ro'dd calendr y tymhorau yn troi tudalennau amser yn yr un ffordd bob blwyddyn, beth bynnag arall o'dd yn mynd mla'n o'i gwmpas.

A wedyn da'th amser i fynd i'r chweched dosbarth! 'Na beth o'dd antur newydd, ond nid yn y ffordd y byddech chi'n meddwl, falle! Ro'n i'n rhan o newid yn hanes yr ysgol. Lan at Lefel O, ro'n i'n ddisgybl yn ysgol Ramadeg Llandysul. Ond wedyn newidiodd yr ysgol i fod yn ysgol ddwyieithog a chael enw newydd, Ysgol Gyfun Dyffryn Teifi. O ganlyniad galla i weud â balchder taw fi o'dd un o ddisgyblion cynta erio'd chweched dosbarth Ysgol Dyffryn Teifi! Galla i fynd yn bellach – fi o'dd y bachgen cynta yn chweched dosbarth yr ysgol. Dim ond tri ohonon ni o'dd yn y chweched, fi a dwy ferch! Ro'dd y rhan fwya o ddisgyblion wedi dewis mynd i'r chweched yng Nghastellnewydd Emlyn a pheidio neud eu pynciau drwy'r Gwmrâg. Olwen Davies, Nia Jones a fi o'dd y chweched dosbarth!

'Nes i Lefel A Cerddoriaeth, a dim ond fi o'dd yn y dosbarth. Felly, dreiles i ddwy flynedd gyda neb ond fi a'r athrawes, June Lloyd Jones, ym mhob gwers. Allen i ddim fod wedi ca'l mwy o sylw. Fi wedyn o'dd yn ca'l arwain pob côr yn yr ysgol, yn cyfeilio ac yn ysgwyddo lot o gyfrifoldebe na fydden i wedi eu ca'l petawn i yn un o ddosbarth llawn. Dyna'r amser dda'th y ddawn ro'dd Dad-cu wedi sylwi arni pan o'n i'n iau, a'r newid amgylchiadau a grëwyd trwy fod mewn ysgol newydd, at ei gilydd a rhoi hwb i fi. Ro'dd yn gyfnod hollbwysig o ran fy natblygiad ac fel sy'n wir am gyment o bethe eraill, ma arwyddocâd y cyfleoedd ges i yn y chweched wedi golygu mwy a mwy i fi wrth i'r blynydde fynd yn eu bla'n.

Ro'dd y tri ohonon ni'n o'dd yn y chweched, Olwen, Nia a finne, yn astudio Cwmrâg a Sgrythur. Rhyw bum mlynedd ar ôl i fi fenni'r ysgol, ces i wahoddiad i fynd nôl fel gŵr gwadd i'r seremoni wobrwyo. Gofynnes i yn fy araith faint o ddisgyblion Lefel O o'dd yn bwriadu aros mla'n i wneud Lefel A yn yr un ysgol. Ro'dd dros 70 erbyn hynny. Ro'dd yn grêt i weld cyment o gynnydd mewn cyfnod cymharol fyr. A braf o'dd gweld arwyddair yr ysgol 'Oni Heuir, Ni Fedir' yn dwyn ffrwyth.

Colles i lot o ffrindie ysgol pan a'th y rhan fwya i Gastellnewydd a ro'dd hwnna'n dipyn o ergyd am sbel fach. Ro'dd angen dod yn gyfarwydd â'r ffaith mai dim ond tri ohonon ni o'dd yn y chweched i gyd. Do'dd yr un cyfleon, yr un posibiliadau ag y byddech chi'n disgwl eu ca'l yn ystod y blynyddo'dd hynny ddim 'na i ni. Ond fydde hi ddim yn deg i roi'r argraff i ni deimlo bod bywyd yn galed a bo ni wedi colli mas chwaith. Ceson ni sylw arbennig yn y gwersi i gyd. Ar ben hynny, ni'n tri o'dd yn edrych ar ôl pawb arall yn y blynydde o danon ni. Ro'n ni ishe i'r ysgol lwyddo ac i'r newid fod yn un cadarnhaol, felly ro'n ni'n teimlo rhywfaint o gyfrifoldeb i edrych ar ôl y disgyblion iau. Ro'dd hynny hefyd yn esgus wych i fi i gerdded rownd yr ysgol a gweud wrth pawb taw fi o'dd *Head Boy* Dyffryn Teifi, achos mai fi o'dd yr unig *'boy'* 'na! Pwy arall o'dd 'na? Neb. Felly o'dd e siŵr o fod yn wir!

Ar fy nglinie yn Aber

ABERYSTWYTH O'DD YR unig Brifysgol ro'n i wir ishe mynd iddi ar ôl gadel ysgol. Ro'dd hanes ac enw da yr adran gerdd yn atyniad mowr ac o'n rhan i, do'dd dim ishe gwell. Lwcus felly i fi ga'l fy nerbyn i wneud gradd B.Mus. Ro'n i'n ymwybodol bo fi'n camu i goleg â thraddodiad balch a chryf. Wedi gweud 'na, ro'dd ystyrieth arall hefyd. Ro'dd Aber yn ddigon agos ac yn ddigon pell o gytre. Hynny yw, fydde modd pigo gytre pan fydde angen bwyd neu bo ishe neud y golch!

Yn neuadd breswyl Pantycelyn 'nes i fyw i ddachre a 'na chi le ag awyrgylch hyfryd. 'Nes i ffrindie newydd yn syth a ro'dd hynny'n dipyn o gysur gan mai fi o'dd yr unig un o'r ysgol o'dd yn mynd i Aber. Do, gyrhaeddes i ar ben fy hunan ond barodd hwnna ddim am sbel, diolch byth. Syrpréis llwyr o'dd sylweddoli bod y Warden, John Bwlchllan, sef yr hanesydd amlwg John Davies, hefyd yn byw ym Mhantycelyn. Do'n i ddim yn dishgwl ei weld e'n cerdded ar hyd y lle na bwrw miwn iddo fe tra bo fi'n byta'n Cornflakes! Ro'dd y ffaith bo ni'n gweld cyment arno fe yn meddwl i ni sylweddoli yn go gloi ei fod e'n dipyn o gymeriad!

Un o'r bobol gynta i fi gwrdda ym Mhantycelyn o'dd Rob Nicholls, boi o Ben-clawdd sydd wedi bod yn athro, yn Gomisiynydd Cerdd S4C ac sy nawr yn weinidog ar Eglwys Gymraeg Canol Llundain. Ma fe hefyd yn organydd o fri. Ma'n syndod bo Rob a fi ddim wedi dod ar draws ein gilydd yn ystod ein dyddie ysgol a gweud y gwir. Ro'dd e'n foi mowr 'da'r core ysgol yn ei ardal e, a finne yn fy ardal i. Ma'n siŵr i ni fod yn yr un babell ar yr un pryd rhyw dro. Ond do'n ni ddim yn nabod ein gilydd pan gyhraeddes i Aber. Ro'dd e yn ei ail flwyddyn pan ddachreues i yn y flwyddyn gynta, ac yn byw yn y stafell drws nesa i fi. Ni'n ffrindie gore hyd y dydd heddi.

Ro'dd yn fendith bod Rob flwyddyn yn hŷn na fi ac yn neud yr un radd. Ro'dd hynny'n golygu bod cyfle nawr ac yn y man i fi weld y traethode gradd ro'dd e wedi sgrifennu yn ei flwyddyn gynta fe. 'Nes i ambell ddefnydd o'i waith e yn fy nhraethode i – a cha'l gwell marcie na fe! Mantes fowr hyn oll o'dd bod mwy o amser i ni fynd mas i joio. A ro'dd Rob a fi yn gallu neud 'na a cha'l marcie uchel iawn! Rhaid cyfadde bo dim lot o ddiddordeb 'da fi mewn neud gwaith coleg. Gan fod y ddou ohonon ni'n canu ac yn chware'r piano ac yn dueddol o neud hynny'n weddol amal yn nhafarndai Aber, ro'dd pobol yn galw ni yn Ryan a Ronnie! Ro'n ni'n canu lot o'u caneuon nhw, ac emyne hefyd, 'na beth o'dd pobol ishe. Ro'dd deuawdau y ddou ohonon ni yn rhan amlwg o fywyd mwy nag un dafarn. Cyfrannodd hwnna'n sylweddol at gynhalieth ariannol dou fyfyriwr (tlawd), gan nad o'dd angen i ni roi'n dwylo yn ein pocedi i brynu peints drw'r nos!

Tafarn y Cŵps o'dd y brif gyrchfan wrth gwrs. Ro'dd daearyddiaeth y dre yn ddylanwad drwg ar ein bywyd cymdeithasol. Falle eich bo chi'n gwbod bod Pantycelyn ar un ochor y dre a'r Hen Goleg, lle ro'dd yr adran gerdd, yn y pen arall. Er mwyn mynd o un i'r llall, ro'dd gofyn paso'r Cŵps. Galla i fadde i chi am feddwl ei fod e'n demtasiwn fawr i fynd mewn am un cloi ar y ffordd nôl i Bantycelyn. Ro'dd hynny'n ddigon gwir. Dim ware! Ond o'dd ben bore yn broblem hefyd, o o'dd! Ddysgon ni'n dou bod taith o Bantycelyn i'r adran gerdd yn gallu bod yn un ddansherys tu hwnt, ac nid achos y traffig! Ar y ffordd i ddarlithoedd, rhyw hanner awr wedi wyth, naw o'r gloch y bore, bydden ni'n cerdded heibio i ffenest y Cŵps a ro'dd Elfed, y landlord, wastad yn ein gweld ni. 'Dewch miwn, bois, dewch miwn!' fydde'r alwad gynnar. Ac wrth gerdded mewn, 'Whisgi bach i chi ar eich ffordd, bois!' Ond y broblem o'dd, fydden ni ddim ar ein ffordd ar ôl y whisgi bach. Yn y Cŵps bydden ni. Wedi setlo.

Fe dda'th pwynt pan ro'dd yn rhaid i ni drio mynd i ddarlithoedd, gan i ni golli cyment ohonyn nhw. Ond siwd gallen ni osgoi'r Cŵps? Do'dd dim ffordd amlwg. O'dd dim ond un peth amdani. Cymryd yr un llwybr tuag at yr Hen Goleg ond wrth gyrraedd y Cŵps, mynd lawr â ni ar ein pedwar a chripad ar hyd y pafin o dan sil y ffenest rhag ei fod e'n ein gweld ni'n mynd heibio. Ma'n siŵr ei bod hi'n olygfa a hanner i'r gyrwyr a'r cerddwyr o'dd yn mynd heibio'r amser 'na o'r bore! Gweld dou foi yn cerdded, wedyn yn cripad fel anifeilied, cyn codi ar ddwy dro'd unweth eto!

Tro'dd deuawde Rob a fi yn y dafarn yn rhwbeth mwy wrth i ni ddachre perfformio mewn cyngherdde. Dachreuon ni ga'l gwahoddiade gan Merched y Wawr yr ardal, er enghraifft. A 'na chi gyfraniad pwysig arall i ariannu gradd! Fe ddes i'n aelod o ambell grŵp canu yn Aber. Un grŵp Cwmrâg o'dd Hari Go Ffes – finne'n chware'r *keyboards*, Edward 'Twrd' Jones ar yr gitâr fas, Hefin o Lanbed ar y drwms a Rhys ar y gitâr. Wedyn o'dd y grŵp Saesneg, Just for Kicks. Ro'dd Bruce, y gitarydd, wedi bod yn chware i Carol Decker o T'Pau. Ro'dd Steve ar y drwms a Nick ar y gitâr fas. Ceson ni hwyl go iawn ar y gerddorieth yn y grŵp 'ma i'r gradde nethon ni styried troi'n broffesiynol a hyd yn o'd dachre'r broses i neud hynny. Do'dd Dad ddim yn rhy hapus â'r syniad 'na! 'Anghofia'r nonsens 'na,' medde fe, 'sai wedi rhoi ti drw'r coleg i ti fod mewn grŵp pop!' Ro'dd e'n brofiad gwerthfawr i fod yn rhan o Just for Kicks. Trw'r canu a'r joio, fe gyrhaeddes i ganol yr ail flwyddyn heb neud fawr ddim gwaith.

Ac yna fe dda'th yr hyn ro'n i wedi bod yn hanner ei ddishgwl. Ces i alwad i fynd i weld y Proffesor! 'I think you are struggling,' medde fe wrtha i, 'I think the B.Mus. course is too much for you, and you should change to B.Ed., it'll be a bit easier for you.' Wel, siwd o'dd ymateb i hwnna? Dim ond mewn un ffordd. Edryches i i fyw ei lyged e a gweud wrtho'n ddiflewyn-ar-dafod, 'Listen, I know what I'm doing. Yes, I might be enjoying myself a bit too much, as you do. I'll prove to you that I'll knuckle down in my third year and I promise I will be top of the class.' Edrychodd e arna i gyda gwên fach a gweud, 'Oh well, OK then.'

Ac yn wir, ar ddiwedd y drydedd flwyddyn, fi o'dd â'r marcie ucha ar y cwrs gradd B.Mus. Pan dda'th y marcie mas, ro'n i yng Nghanada, gyda Mam a Chôr Llanpumsaint a gorffes i ffonio o fan'na i ga'l y canlyniade. Ma'n siŵr bod y marcie ges i wedi hala lot o'r myfyrwyr yn grac uffernol am iddyn nhw weithio'n galed iawn o'r dwrnod cynta yn Aber. Joio 'nes i am y rhan fwya o'n amser a gwitho reit ar y diwedd. Ac, wrth gwrs, ar y dwrnod graddio ro'dd y proff yno a da'th e i siarad 'da fi. 'I knew exactly what you were up to, Jones, you just needed that kick up the arse. Well done, my boy.'

Ro'dd y drydedd flwyddyn yn drobwynt mewn ffordd arall hefyd, ac yn ganlyniad ma'n siŵr i'r penderfyniad i fwrw ati go iawn. Do'dd darllen cerddorieth ddim yn broblem i fi o gwbwl, erio'd wedi bod. Ond do'n i ddim mor gyfforddus yn sgrifennu traethode ac ati. Da'th yr amser pan o'dd yn rhaid neud dewisiade ar y cwrs. Ro'dd gofyn astudio dou offeryn. Dewises i'r llais fel yr offeryn cynta a'r piano fel yr ail. Y ddou o'dd yn dysgu canu i fi o'dd Ken a Christine Reynolds. Ma'r ddou wedi dysgu rhai o gantorion amlyca'r wlad, gan gynnwys ein Shân Cothi

ni! Ro'dd Ken wedi bod yn ganwr opera, bariton o'dd
e, a'r ddou wedi gweithio yn Ne Affrica am flynydde.
Ken o'dd yr un na'th weud wrtha i bod gen i lais da a
bod angen i fi ddewis.

'Mae lan i ti,' medde fe, 'ond ma llais 'da ti, heb os.
Naill ai ti'n cadw neud beth ti wedi bod yn neud, y
corau a'r cyngherddau, neu ti'n troi at fyd opera. I fi,
opera yw dy fyd di.'

Wel, ro'n i bwyti chwerthin yn ei wyneb e! Do'dd
opera ddim yn agos i fod yn fy meddwl. Do'dd e ddim
yn rhan o fy niléit i am eiliad.

Gan taw'r llais o'dd fy newis fel offeryn cynta,
ro'dd gen i ddewis i'w wneud ar gyfer diwedd fy
ngradd. Naill ai 'major recital' neu 'minor recital'
– a dim cyfeiriad at y cyfeirnod o'dd rheina! Ro'dd y
'major' yn golygu canu caneuon amrywiol am hanner
can munud. Ro'dd y 'minor' yn golygu canu am lai
o amser ond neud dou bapur ysgrifenedig hefyd.
Do'dd dim angen neud yr arholiad ysgrifenedig wrth
wneud y 'major'. O'dd e'n *no brainer* i fi, y 'major'
amdani. Fe ddysges i'r caneuon yn ddigon rhwydd, er
bod canu am bron awr yn lot, ond do'dd 'da fi ddim
diddordeb o gwbwl mewn astudio ar gyfer arholiade
ysgrifenedig fydde'n gofyn i fi beth o'dd Beethoven yn
ca'l i frecwast, neu faint o'r gloch o'dd Mozart mynd
i'r tŷ bach bob dydd!

Ro'dd gofyn dysgu llwyth o ganeuon ar gyfer y
perfformiad hanner can munud. Ond ro'dd yn brofiad
gwerthfawr a dylanwadol iawn. Dysges i ganeuon ac
arias, a'r amrywiaeth yn y rhaglen yn ffordd o mestyn

fy *repertoire* ac ychwanegu at fy mhrofiad canu. Ac yn wir, fe ges i ddosbarth cynta am y perfformiad 'na.

Wrth gwrs, ro'dd hynny'n hwb pellach i Ken a Christine i ddachre trafod canu opera gyda fi eto. Ro'dd gan Ken awgrym penodol. 'Cymer flwyddyn mas, cer gytre i ffarmo a dere lan aton ni'n dou bob wthnos i ga'l gwersi canu. Ma llais opera 'da ti ond ma angen amser arno fe i ddatblygu.' Ro'n nhw'n cynnig gwitho gyda fi ar stamina'r llais ac ar ddatblygu *repertoire*. Ro'dd digon i'w ystyried. Ro'dd y ffaith iddyn nhw weud yr hyn ddwedon nhw yn golygu lot i fi, ma'n rhaid gweud, a rhaid o'dd ystyried eu sylwadau o ddifri.

Do'dd dim cynllunie mowr 'da fi ar ôl cwpla coleg. Yr unig beth o'dd yn glir i fi o'dd nad o'n i ishe dysgu. Do'dd dim amynedd 'da fi i fod yn athro (achos o'n i'n gwbod fel o'n i yn yr ysgol)! Beth ro'n i wir ishe neud gyda fy ngradd o'dd cyfansoddi cerddoriaeth ffilm, credwch neu beidio, dyna'r dymuniad. Dyma stori o le dda'th y syniad hwnna.

'Nes i arholiade piano lan at radd wyth a wedyn mynd am yr LRAM neu'r ALCM, dwi ddim yn cofio pa un. Ta beth, 'nes i ffili o un pwynt yn unig. Wel, pwdes i wedyn! 'Nes i ddim ailsefyll yr arholiad 'na. Er i fi lwyddo'n itha da 'da'r piano, do'n i byth yn wir fwynhau dilyn copi a chware darnau clasurol. A ro'n i'n casáu ymarfer! Beth o'n i wrth fy modd yn neud o'dd chware o'r glust. 'Na le bydden i gytre yn mynd at y piano, ymarfer am ryw bum munud a wedyn yn rhoi hwnna naill ochor a dachre chware o'r glust.

Ro'n i'n dal wrth y piano rhyw awr a hanner wedyn jyst yn ware beth o'dd yn dod i'r meddwl. Ma'n siŵr bod Mam yn meddwl 'mod i'n ymarfer yn galed iawn! Dw i'n dal i wir fwynhau cyfansoddi wrth chware. Ym Mhantycelyn, ro'n i'n gadel drws fy stafell ar agor yn amal, a jyst ware beth bynnag o'dd yn dod. Bydde'r bois yn dod mewn i glywed beth o'dd yn digwydd.

Yna da'th dyddie'r *synthesizer*! Wel, am gyffro. Yr holl opsiynau, cerddorfa gyfan ar flaen fy mysedd! Tua'r un pryd, ro'n i'n mynd lawr at fois Fflach yn Aberteifi ac yn clywed y fath ansawdd sain ro'n nhw'n gallu creu mewn stiwdio. Da'th set drwms i'r tŷ wedyn, a dyna mestyn y posibiliade ymhellach. Ro'dd y cyfan gyda'i gilydd yn troi'n ddylanwad amlwg. Ro'n i wrth fy modd yn edrych ar raglen deledu gyda'r sŵn lawr ac yn creu cerddoriaeth i fynd gyda'r llunie ro'n i'n gweld. Cydiodd y diddordeb 'ma go iawn, ac fe ddatblygodd, yn ystod y ddwy flynedd gynta yn Aberystwyth. Ro'dd y cwrs B.Mus. yn help hefyd. Yn y dyddie cyn bod meddalwedd i recordio a thrawsgrifio cerddoriaeth heb yr angen am bapur, ro'n ni'n ca'l ein dysgu siwd i gofnodi cerddorieth. A 'na beth o'n i'n neud wedyn wrth chware a chyfansoddi, sef sgrifennu popeth lawr, gan gynnwys yr harmonïau ac ati.

Ochor yn ochor â hyn oll, ro'dd y diddordeb mewn ffilmie ac yn ddigon naturiol, cerddorieth ffilmie. Pan y ces i fynd ar raglen *Beti a'i Phobol* ar Radio Cymru un o'r darnau cerddorol 'nes i ddewis o'dd thema gerddorol y ffilm *Superman*. Ma dylanwad y cyfansoddwyr clasurol yn amlwg ar gyfansoddiade ffilm John Williams ac ma'n wefr i fi i weld y fath ddylanwade mewn cyfrwng cwbwl wahanol. Ma John Williams yn arwr! Cam bach iawn i fi wedyn o'dd meddwl am neud y gwaith hyn yn broffesiynol. Ces sawl sgwrs gyda'r anhygoel Dr Terry James am y maes, am iddo fe weithio fel cyfansoddwr cerddorieth ffilm yn Hollywood. Terry gyfansoddodd gerddoriaeth ffilm Jonathan Livingston *Seagull*, ac fe enillodd Grammy yn y Saithdege am y sgôr gerddorol wreiddiol ore. Ro'dd Terry yn fy annog i i fynd i fyd cyfansoddi cerddorieth ffilm ac yn barod iawn i fy helpu i neud hynny. Unweth eto, cyngor gwerthfawr gan rywun sy'n anodd iawn ei anwybyddu!

Felly 'ma fi'n dod wyneb yn wyneb ar ddiwedd y drydedd flwyddyn â dwy hewl o'dd yn agor mas o 'mla'n i. Ffilm neu opera. Ro'dd syniade gwahanol yn dod i'r meddwl nôl a mla'n drw'r trwch. O ran y canu, ro'n i'n gyfarwydd â bod yn unawdydd pan o'n i'n 'boy soprano', ond y funud newidodd y llais, canu mewn core o'n i a do'n i ddim yn meddwl am fod yn unawdydd. Ro'dd styried opera fel gyrfa yn mynd â fi nôl i feddwl am y posibilrwydd o fod yn unawdydd unweth eto. Ro'dd y byd cerddorieth ffilm, er yn fwynhad llwyr, yn fyd llai cyfarwydd i fi o ran gwbod pwy o'dd pwy a siwd o'dd cyrraedd gwahanol bobol ddylanwadol. O ran ymateb fy rhieni, do'dd dim dowt eu bod nhw'n prowd iawn o'r syniad y gallen i lwyddo ym myd opera. Ro'dd yr ymateb yn dipyn gwahanol i'r un i Just for Kicks!

Yn y diwedd, 'nes i ddim cymryd amser hir i

benderfynu. Fe dda'th yn ddigon amlwg taw at y byd
opera y dylen i droi. Ro'n i'n ddigon bodlon hefyd i
dderbyn y cyngor i gymryd amser mas i ddatblygu'r
llais opera ymhellach cyn mentro arni go iawn. Felly
nôl â fi at gaeau glas Rhiwlwyd a phentre Dolgran.

Nôl at y da

RO'DD Y BYD ro'n i'n camu nôl iddo yn fyd o'dd yn newid. Nid yr un byd o'dd e â'r un 'nes i adel. Da'th tro ar fyd yn yr Wythdegau pan dda'th y cwotas lla'th i fyd ffarmo. Yn y bon, ro'dd hwnna'n golygu y rheolau llym gafodd eu cyflwyno gan lywodreth Mrs Thatcher ar faint o la'th ro'dd ffarmwr yn gallu ei werthu cyn bod ardoll yn ca'l ei godi arno fe. Trwy fy amser yn yr ysgol uwchradd a'r coleg, ro'n ni'n gweld gwahanieth mowr ym mywyd y ffarm achos hynny. Do'dd Maggie Thatcher ddim yn boblogaidd iawn yn ein hardal ni, alla i weud wrthoch chi! Dim ware!

Ro'dd Dad ymhlith y ffermwyr godro a gafodd hi'n anodd yn nyddie'r cwotas. Weles i lot o'r caledi sy'n gallu bod yn y busnes ffarmo pryd 'ny. I fyd digon tebyg i 'na ro'n i'n mynd nôl iddo ar ôl Aber. Ro'dd fy Wncwl John wedi penderfynu gwerthu ei ffarm e, am iddo weld y dyddie drwg yn dod. Gwerthodd y cwbwl lot a symud i fyw mewn byngalo ym Mhencader.

Cariodd Dad mla'n am sbel wedi hynny. Ond ro'dd e'n dachre pwyso a mesur hefyd. Ro'n i a fe yn ca'l sgyrsiau'n amal ynglŷn ag a ddyle fe gario mla'n neu beidio. O'n sabwynt i, ro'n i'n gweld mai gweithio er mwyn bodoli o'dd e erbyn hynny. Ro'dd pethe'n mynd yn fwy a mwy anodd. Ro'dd degawde o lafur caled tu ôl iddo fe a ffarmo yn ffordd o fyw nid yn unig iddo fe, ond i ni fel teulu hefyd. Ond pan dda'th hi'n amser gadel coleg, ro'dd Dad dal yn ffarmo, diolch byth i fi!

Ro'n i nôl yng nghanol bywyd ffarm ac ro'dd hynny'n bleser. Ond yn wahanol tro 'ma, ro'dd byd opera yn rhan o'r cymysgwch. Cyn hir ro'dd patrwm bywyd newydd wedi dachre siapo. Nôl at yr hen ffordd o fyw a'r jobs gwahanol ar y ffarm, ond hefyd trafaelu nôl a mla'n i Aber nawr ac yn y man i ga'l gwersi canu 'da Ken a Christine. Ar ben hynny, dachreues i gystadlu mwy fel unawdydd, fel tenor opera. Ro'dd hwnnw hefyd wrth gwrs yn rhan o'r paratoi at gam nesa fy ngyrfa. Er bo fi'n hen gyfarwydd â pherfformio a chystadlu, ro'dd canolbwyntio ar fod yn unawdydd opera yn dipyn o newid.

Dachreues i gystadlu a dachreues i ennill ambell gystadleuaeth hefyd. Y canu o'dd y prif beth wrth gwrs, ond gan fy mod mewn steddfod, man a man i fi gymryd rhan mewn cystadleuthe eraill hefyd – fel yr adrodd digri, er enghraifft!

Yn lot o'r steddfode ro'dd y beirniaid canu yn amal yn dod o ryw *conservatoire* neu'i gilydd, neu o'r byd opera tu fas i Gymru. Ro'dd ca'l eu sylwade nhw yn werthfawr iawn wrth i fi ddysgu fy nghrefft a phan ddachreues i ennill, ro'dd mwy yn dod i wbod amdana i. Ac yn ddieithriad bron, wedi ennill, bydde rhywun yn y gynulleidfa yn dod lan ata i i ofyn i fi ganu mewn cyngerdd. Trwy hyn, fe ddes i berfformio yn y *Messeiah* fan hyn, y *Creation* fan draw neu *Elijah* mewn man arall. Felly, ro'dd yr yrfa'n dachre siapo a'r CV yn datblygu.

Bod nôl ar y ffarm am flwyddyn o'dd y bwriad. Ond ro'dd Ken a Christine yn credu y bydde aros blwyddyn arall cyn mynd i goleg o fantes i fi. Dywedon nhw y bydden nhw'n defnyddio'r flwyddyn 'na i drefnu clyweliade i fi yn Llunden. A felly buodd hi. Ro'dd blwyddyn arall ar y ffarm o'm bla'n i. Gweithio ar y ffarm yn ystod yr wythnos a mas i steddfod neu gyngerdd ar y penwythnos – steddfode neu gyngherdde ddylen i weud, ro'dd wastad mwy nag un ohonyn nhw ar unrhyw benwythnos!

Do'dd ffarmo ddim yn beth rhwydd y dyddie 'ny, fel wedes i gynne. Cariodd Dad mla'n, ond da'th y dydd, ddim sbel ar ôl i fi adel, pan benderfynodd e werthu'r gwartheg i gyd a throi cefn ar yr hen ffordd o fyw. Ma'n siŵr ei fod yn beth anodd iddo fe neud. O'dd, ro'dd e'n gweld mor anodd ro'dd pethe'n mynd a bod ffarmo ddim run peth. Ond eto i gyd, ro'dd e yn y gwa'd. Nid ar ware bach ma gadel i rwbeth fel'na fynd. Ond fe na'th e yn y diwedd. Y cyfle cynta ges i wedi iddo gymryd y cam 'ny, anghofia i byth, fe dales i i fynd â'n rhieni a'n wraig ar wylie mas i Fuengirola yn Sbaen. Ro'dd Dad tua chwe deg mlwydd oed a ninne'n mynd ar y gwylie teulu cynta erioed. Sbesial!

Er bod ffarmo yn y gwa'd, yn ffordd o fyw ac nid gwaith yn unig, do'dd dim awydd 'da fi i gymryd y ffarm drosodd ar ôl i Dad riteiro. Y norm pryd 'ny o'dd i'r bois fynd i witho ar y ffarm lle geson nhw eu magu. Do'dd lot ddim yn trafferthu 'da chweched dosbarth – strêt i'r ffarm yn 16 oed. O styried 'ny, ro'dd cefnogeth fy rhieni i fy mhenderfyniad i beidio â chydio yn awenau'r ffarm heb ei hail. Ces i'r gefnogeth ore yn y byd, rhaid gweud. Fel ma pethe wedi troi mas, dw i'n fwy diolchgar byth iddyn nhw beidio â rhoi pwysau arna i a gweud 'fan hyn ma dy le di'. Chlywes i mo'r geire 'na erio'd.

Ro'dd symud nôl i'r ffarm yn gyfle i ailgydio mewn diléit fuodd 'da fi erioed, sef moto-beics. Dw i'n dwli arnyn nhw. Fe 'nes i boeni Mam a Dad digon i fi ga'l un fy hunan ar y ffarm. Ond beth o'dd yn fwynhad llwyr o'dd mynd i weld sgrambls gyda dou frawd o'dd yn byw ar bwys ni ym Mhentrecwrt, Emyr a Dafydd Evans Gwrfach Fyw. Tro'dd y diddordeb lleol 'ma yn beth tipyn mwy. Dachreues i fynd bant i weld y rasys mowr, y Grand Prix ac ati. Ro'dd rhain yn ddigwyddiade dou ddwrnod ar benywythnose gŵyl y banc fel arfer. 'Na beth o'dd joio! Pan o'dd rhai o'r bois raso gore ddim yn cystadlu dramor, ro'dd sawl un yn lico dod i Gymru a bydden i'n mynd i'w gweld nhw'n amal.

Des i'n ffrindie gydag un boi o Didcot, Phil Mercer. Ro'dd e'n reido moto-beics yn broffesiynol. Pan ro'n i'n canu mewn opera ddim yn bell o'i gytre fe, ces i docynnau iddo fe a'i fam i ddod i fy ngweld. 'Na bâr anhebygol i ddod i weld opera, fi'n gweud 'thoch chi! Ond nethon nhw fwynhau'n fawr a datblygodd y gyfeillgarwch. Ro'n i'n mynd i aros 'da fe pan o'n i yn ei ardal. Wedyn, dachreues i fynd bant gyda fe i Grand Prix. 'Na beth o'dd profiad! Ro'n i'n mynd dramor gydag e a'i dîm yn y lori fowr, a chysgu yn y cab. Bant â fi i Wlad Belg, Ffrainc a'r Almaen i fod yn rhan o dîm Grand Prix Phil! Fi o'dd yn neud y *pit boards* iddo fe. Des i nabod sêr rhyngwladol y byd rasio moto-beics trwy'r profiadau 'ma.

Tra ro'n i yng Ngwlad Belg un tro, fe ethon ni i ffatri foto-beics Husaberg, a nhw o'dd yn neud y beic *motocross* i bencampwr y byd ar y pryd, sef Joël Smets. Weles i erio'd ffatri mor lân, o'dd hi'n sheino! Digwydd bod, tra o'n i 'na, ro'dd Joël 'na hefyd. Ceson ni itha sgwrs. Ro'dd y bois gytre yn benwan pan wedes i'r stori wrthyn nhw! Ro'n nhw wedi bod yn rasio ers blynydde a heb gwrdda Joël a fi'n cerdded mewn i ffatri a cha'l sgwrs 'da fe! Gofynnodd e beth o'n i'n neud fel proffesiwn. Wedes i mai canwr opera o'n i. 'Oh,' medde fe wedi ei synnu'n fawr, 'Give us a song!' A 'na beth 'nes i. Ynghanol y ffatri 'ma'n llawn moto-beics a'r gweithwyr i gyd, fe ganes i! Ar ôl hwnna, ces i wahoddiad i fynd 'da pencampwr y byd i'w Grand Prix nesa fe! Ro'dd y cysylltiad 'ma 'da'r Grand Prix yn digwydd pan o'dd y gamp yn dod yn fwyfwy poblogaidd ar deledu Sky. Ma sawl ras wedi bod ar y bocs lle chi'n gallu gweld fi yn neud y *pit board* yn ystod y ras!

Da'th diddordeb arall digon tebyg wedyn – carto. Dachreuodd hwnna yn Wexford. Ro'n ni 'na yn canu mewn opera ac yn mynd heibio i ganolfan carto dan do bob dydd. Wel ro'dd yn rhaid gweld siwd beth o'dd e, on'd o'dd e? Cydiodd y peth yndda i'n syth. Fe es i 'na bob dydd. O fan'na mla'n, ble bynnag ydw i'n canu, fe wna i whilo am ganolfan carto dan do neu awyr agored. Pan o'n i yn Llunden, ro'dd canolfan aruthrol o fowr yn White City. Bob nos Sul, ro'dd 'da nhw Grand Prix eu hunain. Ro'dd gofyn rhoi eich enw lawr wrth gyrraedd ac yn amal bydde rhyw 90 o bobol yn cystadlu. Bydden i 'na am ryw dair, pedair awr yn amal. Bydde'r goreuon yn cymryd rhan yn y semi-ffeinal ac yna'r ffeinal. Llwyddes i gyrraedd y ffeinal ryw dair gwaith i gyd. Cymres i ran mewn Grand Prix Carto yn Milton Keynes unweth. Ac unweth eto, ble bynnag ro'n i'n mynd 'da'r carto, ro'dd pawb ffili credu mai canwr opera o'n i. I fi, ro'dd e'n rhwbeth hollol wahanol i'r byd opera, a'r gwahaniaeth 'na o'dd yn creu'r diléit i fi ac yn rhoi'r mwynhad.

Dad-cu Rhiwlwyd, Willie Hall Jones.

Dan Richards (Dat Llanybydder).

Mam-gu Rhiwlwyd, Elizabeth Mary Jones.

Dafydd a Pauline Rhiwlwyd (Mam a Dad) ar ddiwrnod eu priodas ym Mehefin 1967.

Euros, Lynwen a Berian, Dolgader.

Dad, John ac Islwyn.

Islwyn, John a Dad rhai blynyddoedd wedyn.

Dat a Mam
Llanybydder, Dan a
Doris Richards.

Fi a Dad-cu
Rhiwlwyd, a Dad yn
ffenest y boidy.

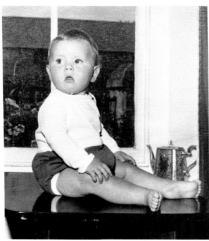

Y babi perta welodd Dolgran erioed (fi).

Fi yng nghanol y ddau
Ddad-cu.

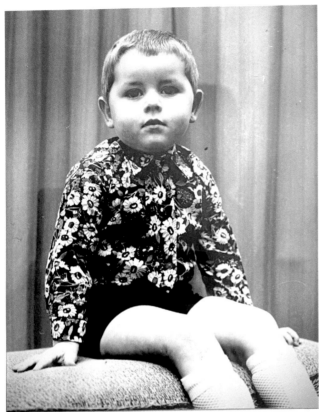

Pan o'n i'n bedair oed.

Aduniad Dad a Spencer Bidel yng Nghanada, 1983.

Capel Tabernacl, Pencader.

Teulu Richards.

Côr Dolgran.

Brawd a chwiorydd Mam.

Teulu Dolgader.

Deca, Tad-cu Rhiwlwyd a Dosha Beehive.

Ysgol Gynradd Pencader tua 1974.

Tîm Rygbi, Ysgol Gynradd Pencader.

Diwrnod cyntaf yn Ysgol
Ramadeg Llandysul, 1979.

Ysgol Uwchradd tua
14 oed (1981).

Emrallt.

Cor Ieuenctid Dyffryn Teifi.

Fi a Mam yng Ngŵyl Carafán, Toronto, Canada
gyda Chor Llanpumsaint yn 1990.

Fi a'r angyles June Lloyd Jones (athrawes
Gerdd, Ysgol Ramadeg Llandysul) ar ei phen-
blwydd yn 80 oed.

Llun graddio Prifysgol Aberystwyth, 1990.

Llun graddio yn y papur newydd.

Aled Hall Jones, mab Mr.
a Mrs. Dafydd Jones,
Rhiwlwyd, Pencader, a
ennillodd radd gydag anr-
hydedd mewn cerddor-
iaeth (B. Music) yng
ngoleg Prifysgol Cymru,
Aberystwyth.
    Picture: Derek Powell

Rob Nicholls gyda'r anfarwol Elfed
Cŵps, Aberystwyth.

Partner in crime yn Aberystwyth.

Y ddau bartner yn dal yn ffrindie
mawr hyd heddi!

Ryan a Ronnie Aberystwyth (fi a Rob)
yn morio canu.

Dathlu ennill Ysgoloriaeth W. Towyn Roberts yn Eisteddfod Castell Nedd a'r Cyffiniau 1994.

Gyda'r hyfryd W. Towyn Roberts.

Fi a Gwyn Morris yn y *Gondoliers* i Gwmni Operatig Caerfyrddin.

Ken a Christine Reynolds.

Kenneth Bowen, fy athro canu yn Llundain.

...a fi dal yn pwsho
hi hyd heddi!.

Fi gyda Mam a Dad ar
y diwrnod mawr.

Y ddau rebel – fi a
Rob, fy ngwas priodas.

Y cwpwl hapus.

Y tywyswyr a'r merched blodau ar ddiwrnod ein priodas gyda Mam a Tad Natalie ar y dde, Gareth a Lillian Mainwaring.

Fi ar fy mis mêl yn y Maldives, 2000.

Natalie yn joio ei mis mêl yn y dŵr.

Special Delivery – Buy One, Get One Free – Genedigaeth Daniel ac Elen, Mawrth 2001.

Pedair cenhedlaeth mewn un llun.

Fi a'r efeilliaid yn Aix-en-Provence.

Natalie a'r plantos yn Aix.

Mam a Dad mas yn helpu ni yn Aix.

Daniel ac Elen yn dechrau Ysgol Gynradd Cae'r Felin, Pencader yn 2005.

Gwersi canu

DA'TH Y DYDD i fi fynd i Lunden – ond chi'n gwbod i fi neud 'na'n barod, wrth gwrs, mae'r hanes yn y bennod gynta! Ro'dd gwahanol glyweliade wedi ca'l eu trefnu a ro'dd yr un cynta yn yr Academi Brenhinol. Mam a fi a'th lan. Gadawon ni gytre'n gynnar iawn y bore, a mewn â fi i ganu i ddarlithwyr yr Academi yn hwyrach y bore 'ny. Ar ôl benni canu, o'n i'n meddwl bod popeth wedi mynd yn itha da. Cyn i fi adel y stafell, gofynnodd rhywun o'r panel a fydden i'n fodlon dod nôl ar ddiwedd y prynhawn. Fe nethon nhw esbonio bod Pennaeth yr Academi mas tan hynny a ro'n nhw'n awyddus iddo fe ga'l cyfle i fy nghlywed i hefyd. Ro'dd hwnna'n damed bach o sioc, er bo fi ddim cweit yn gwbod beth yn union o'dd e'n ei olygu.

Hongian rownd yn Llunden trwy'r dydd o'dd hi wedyn cyn mynd nôl i'r Academi erbyn pump o'r gloch. Fe ganes i i'r Pennaeth a cha'l sgwrs 'da fe wedyn. Fe na'th e holi fi am fy mwriad o ran gyrfa, gan wbod wrth gwrs fod gradd B.Mus 'da fi'n barod. Fel'na buodd hi. Nôl â ni gytre'n syth wedyn. Ro'dd hyn ar ddydd Gwener, ac ar y dydd Llun olynol fe ges i alwad gan yr Academi yn cynnig ysgoloriaeth o dair blynedd i stydio opera. Do'dd dim ishe becso am arian i dalu'r ffi, dim ond whilo am arian i fyw o'dd ishe arna i wedyn. Ro'n i'n mynd i ddachre cwrs opera i ôl-raddedigion! Am deimlad!

Ro'dd yn gam mowr o Bencader i'r Academi. Tipyn o beth o'dd cerdded mewn i'r lle, gweld y fath adeilad, clywed yr acenion dierth a'r holl brysurdeb rownd i fi. 'Odw i'n ddigon da i fod fan hyn?' o'dd y cwestiwn a'th rownd a rownd yn fy mhen. 'Odw i'n perthyn yn y fath le?' o'dd y cwestiwn arall. Ma lot wedi sefyll yn yr un fan, gofyn yr un cwestiyne a throi hi nôl gytre yn lle aros.

Ond des i ddeall yn ddigon cloi ma lot o sioe o'dd cleme rhai o'r myfyrwyr. A des i sylweddoli'n itha cloi hefyd bod 'da fi lot mwy o brofiad perfformio o fla'n cynulleidfa fyw na bron pawb arall yn yr un flwyddyn â fi. Do'dd rhai ohonyn nhw ddim wedi canu o fla'n cynulleidfa fyw erio'd o'r bla'n! Ro'n i wedi bod yn neud hynny ers o'n i tua pedair blwydd o'd! A dyna lle ŷn ni fel Cymry mor lwcus o'n traddodiad Eisteddfodol!

Fe na'th un peth neud y cam yn dipyn, dipyn haws. Pleser llwyr o'dd deall mai fy nhiwtor yn yr Academi fydde Kenneth Bowen, Pennaeth yr Adran Llais yno. Ro'dd yn dod o Lanelli ac yn denor adnabyddus iawn ei hunan. Ymhlith nifer o bethe ma fe wedi'u cyflawni yn y byd canu, ma stori ddifyr amdano'n perfformio yn y *Messiah* 17 o weithie mewn un mis! Ro'dd e'n enwog am hyrwyddo gwaith cyfansoddwyr o Gymru, fel Alun Hoddinott, William Mathias a Dilys Elwyn-

Edwards. Ro'dd ca'l fy nysgu ganddo fe yn rhwbeth gwerthfawr heb os, ond ro'dd yn fwy gwerthfawr byth gan ei fod yn Gymro Cwmrâg – ces i fy ngwersi canu yn yr Academi yn y Gwmrâg! Ro'dd cysylltiade Ken yn arbennig, yn enwedig ym myd corawl Llunden ac yn yr Eisteddfod. Buodd e'n diwtor hefyd i'r Aled arall na'th ddwgyd fy enw i!

Da'th mantais aros dwy flynedd cyn meddwl am fynd i Lunden yn amlwg yn gynnar iawn ar ôl i fi ddachre 'na. Ro'dd y Coleg, a Ken hefyd, yn gweld yn ddigon amlwg bod gen i *repertoire* tipyn ehangach nag unrhyw fyfyriwr arall. Ro'n nhw wedi synnu bod cyment o brofiad perfformio a chystadlu 'da fi. Felly pan o'dd cynhyrchwyr yn dod at y coleg i ofyn am unawdwyr i gymryd rhan yn eu cyngherdde ro'n i'n ca'l fy newis pob tro gan bo fi'n gwbod geirie a cherddoriaeth y rhan fwya o'r prif weithie. Amhosib gor-bwysleisio mantais y ddwy flynedd 'na o aros adre. Fe na'th sawl cerddor weud wrtha i yn y blynyddo'dd hynny bod gormod o gantorion yn mynd i Lunden yn lot rhy ifanc. Medde un, 'There are more voice breakers than voice makers in London.' A ma fe'n wir. Ma lot o bobol ifanc yn dod mas o lefydd fel yr Academi yn eu hugeiniau cynnar a ma pethe drosodd cyn iddyn nhw ddachre. Erbyn i fi fynd mewn i'r Academi, ro'n i'n bump ar hugain, jyst yr amser iawn.

Sai'n credu i fi fod lan yn Llunden am un penwthnos yn ystod y tymor cynta 'na. Ro'n i nôl yng Nghymru yn perfformio neu'n cystadlu. Dyma'r cyfnod pan 'nes i gymryd rhan yn fy opera gynta, *Carmen*, gyda

Chymdeithas Opera Porth Tywyn, cwmni amatur o safon sydd wrthi ers blynydde yn cynhyrchu operâu. Ar ôl clywed am *Carmen*, fe ofynnodd cwmni opera Cadoxton i fi fod yn eu cynhyrchiad nhw o *Nabucco* ac ar ôl hynny, gofynnodd Cwmni Opera Castellnedd i fi fod yn *The Bartered Bride*. Ro'dd y cyfleodd 'ma, fel yn achos y cyngherdde, yn cynyddu ac yn cynyddu.

Wrth gwrs, gan bod fi heb neud yr operâu 'ma o'r bla'n ro'dd angen dysgu'r rhain o'r dachre'n gyfangwbwl. Felly fe drodd y gweithie 'ma yn gynnwys fy ngwersi canu. Bydde Ken Bowen yn dysgu *Nabucco*, *The Bartered Bride*, *Carmen* ac ati i fi fel rhan o'r cwrs, fel ro'dd yr angen yn codi. Ro'dd e wrth ei fodd bo fi'n mynd mas i ganu mor amal ac yn barod iawn i fy nghefnogi.

Wrth gwrs, o'n i byth yn cymryd dim ro'dd yr Academi yn cynnig i fi'n ganiataol. Ro'dd hynny'n sicir yn wir pan drefnodd yr Academi i bedwar ohonon ni gymryd rhan mewn dou berfformiad o'r *Messiah* – yn Bermiwda, cofiwch! Ac yn anffodus ro'dd yn rhaid i ni fynd yno am wythnos gyfan gan mai dim ond un awyren yr wythnos o'dd yn mynd a dod yno. 'Na drueni mowr, yndyfe de!

Ro'dd gan yr Academi gysylltiade gyda Chôr Philharmonic Bermiwda. Felly ni'n pedwar o'dd yr unawdwyr a ro'dd y côr mas 'na'n barod. Galla i weud wrthoch chi, ro'dd lot o'r myfyrwyr eraill yn ddigon crac 'da ni'n pedwar ac yn credu iddyn nhw ga'l cam! Yn yr Eglwys Gadeiriol ro'dd perfformiade Bermiwda a ro'dd yn lle arbennig. Ro'dd pawb yn gwerthfawrogi cyment. Fydden i byth wedi breuddwydio y bydden i'n mynd i'r ynys, heb sôn am ganu 'na!

Ma'r *Messiah* yn un o'r gweithie 'na ro'n i wedi hen ddysgu a do'dd dim gofyn paratoi cyn mynd i Bermiwda. Hyd heddi, dwi wastad yn dysgu geirie er mwyn gallu eu canu heb gopi o 'mla'n i. Ma honna'n gred gref iawn 'da fi. Do's dim posib mynd â chopi i opera, ma'n rhaid dysgu'r cwbwl. Felly pam nad yw pobol yn neud 'na mewn cyngerdd neu oratorio? Os odw i'n mynd i un o'r ddou 'na a ma rhywun yn dod i'r llwyfan â chopi 'da nhw, fi'n cerdded mas. Ma canu heb gopi yn golygu bod y canwr yn gallu cyfathrebu'n well 'da'i gynulleidfa, ac edrych yn uniongyrchol atyn nhw. Mae hefyd yn golygu bod mwy o ryddid i gymeriadu rhanne mewn oratorios, er enghraifft. Dwi'n cofio neud hynny mewn perfformiad o *Samson* gan Handel. Ma'r stori mor ddramatig, yn wahanol i'r *Messiah*, a 'nes i feddwl bod cyfle i neud rhwbeth tamed bach yn wahanol 'da hwnnw. 'Nes i witho lot ar gymeriadu Samson a pherfformio fel petawn i'n perfformio mewn opera.

Cododd y busnes canu heb gopi ei ben tra ro'n i yn yr Academi. Ro'dd y coleg yn dewis yr operâu i ni fyfyrwyr ganu ynddyn nhw. 'Ma'n nhw'n dewis un o operâu Handel, ac fel tro'dd pethe mas, do'dd dim rhan unawdydd i fi yn honna. Pan fydde 'na'n digwydd, ma'r canwr yn ymuno â'r corws. A 'na beth 'nes i ar yr achlysur 'ma. Ro'dd boi o Loegr, Simon Kirkbride, wedi ca'l y brif ran. Bariton o'dd e. Ro'dd e'n un o'r rhai 'nes i sôn ambwyti gynne o'dd yn llawn sioe ac yn credu eu bod yn fwy pwysig nag o'dd e.

Ro'dd lot o arias iddo fe ddysgu yn rhan yr Emperor, a sawl *recit*, sef y naratif sy'n cysylltu un aria gyda'r un nesa, hynny yw, gweud y stori. Gofynnes i iddo fe siwd o'dd e'n dysgu pob *recit*, gan fod cyment ohonyn nhw a bod rhai yn itha hir. Dangosodd e sgrôl i fi ro'dd e fod i ddala ar agor yn ei law yn ystod y perfformiad ac ar y sgrôl ro'dd geirie'r *recit* hira. 'Oh you genius,' medde fi, 'That's just brilliant!'

Ro'dd rhediad o whech perfformiad o'r opera 'ma. Ar y noson ola, heb bod e'n gwbod, 'nes i fynd â'r sgrôl o'dd fod 'da fe a rhoi sgrôl arall yn ei lle hi. Mla'n â fe i'r llwyfan a dod i'r fan yn y stori lle ro'dd e'n mynd i ddarllen y *recit* hir o'r sgrôl. Ond ro'dd y papur yn wag! 'Na gyd o'dd arno fe o'dd beth 'nes i sgrifennu, 'Rule Number One in opera, always learn your f****ng words!'

Rhewodd e'n llwyr! Do'dd e ddim wedi dysgu'r geirie, a do'dd dim modd neud nhw lan! Mla'n â fe mor gloi ag y galle fe, heb neud e'n rhy amlwg bod e ar goll, yn syth i'r aria nesa. A finne yn y corws tu ôl iddo fe yn werthin yn braf, a phawb arall o'dd yn gwbod beth o'n i wedi'i neud! Do'dd e ddim yn hapus o gwbwl ar ôl y perfformiad, ond syrfo fe'n reit am fragan cyment nad o'dd ishe dysgu geirie.

Cwpwl o flynydde'n ôl, es i mas i neud *Aida* yn Bergen, Norwy. A phwy o'dd pennaeth yr ysgol opera yn y ddinas honno? Simon Kirkbride! Do'n i ddim yn gwbod hynny cyn mynd a ro'n i heb ei weld e ers blynydde mowr. Dethon ni mla'n 'da'n gilydd yn grêt. Tro'dd ata i un dydd a gweud wrtha i, 'I have to thank you for what you did with that scroll. Now that I'm running this opera school, I use that story to this day, to tell my students "always learn your words".'

Falle bod trio dysgu gwers i'r boi yn fyw ar lwyfan o fla'n cynulleidfa yn beth drygionus i'w neud, ond ma'n amlwg bod e wedi talu ffordd a bod cenhedleth arall o gantorion wedi dysgu'r un wers hefyd, trwy Simon!

Kindergarten Cop

MA ISHE I fi esbonio fan hyn na'd o'n i yn Llunden ar ben fy hunan. Na, dda'th Mam ddim 'da fi tro 'ma! Ma'r stori'n dachre yn ystod yr ail flwyddyn nôl ar y ffarm ar ôl gadel Aber. Ro'dd cefnither i fi, Angharad, merch chwa'r Mam, yn byw ym Mhontyberem yng Nghwm Gwendraeth. Ro'dd h'n unig blentyn hefyd a ro'n ni'n dou yn ffrindie agos. Ro'n i'n mynd lawr 'na i aros yn amal, ac yn ca'l fy sbwylio'n rhacs 'da Anti Wendy ac Wncwl Beri.

Yn ystod un cyfnod o aros 'da nhw, wedodd Angharad bo ni'n mynd i'r sinema. 'Pwy yw ni?' medde fi. 'Fi, y sboner a ffrind i fi o Lannon, Natalie,' o'dd yr ateb. Ro'n i wedi dod i nabod y rhan fwya o ffrindie Angharad, ond ro'n i heb gwrdda Natalie. 'Dei di mla'n yn iawn 'da hi, paid becso,' o'dd sylw Angharad.

Bant â ni i Abertawe yng nghar newydd sboner Angharad, MG Maestro coch. Biwti o gar a'r perchennog yn browd iawn ohono fe. Parcodd e'r car dan ole stryd yn y maes parcio fel bo pawb yn gallu gweld e. Mewn â ni'n pedwar i weld y ffilm *Kindergarten Cop*! Joies i hi. Mas â ni wedyn a nôl i'r car. Ond do'dd e ddim 'na! Whilo bobman amdano fe, ond na, dim golwg ohono fe. Ro'dd rhywun wedi dwgyd e. Un peth o'dd amdani, sef cerdded i orsaf yr heddlu i riporto'r lladrad. Ar y daith 'na o'r maes parcio i orsaf yr heddlu ges i siarad go iawn gyda Natalie, ffrind Angharad, am y tro cynta a 'na ffordd dachreuon ni ddod i nabod ein gilydd. A wedi hynny, dachreuon ni weld ein gilydd yn fwy amal. Diolch i'r *joy riders*!

Wrth i ni gyrraedd gorsaf yr heddlu, fe welon ni'r car yn mynd heibio, yn neud tua naw deg milltir yr awr! Ffindodd yr heddlu'r car y dwrnod ar ôl 'ny, ond ro'dd e wedi ca'l ei drasho'n llwyr. Trueni mowr am y car. Ond ro'dd yr helynt wedi golygu bod Natalie a fi wedi ca'l cyfle i siarad 'da'n gilydd, diolch i'r diawled 'na yn Abertawe. A diolch fwy byth i Angharad am y *blind date*!

Ro'dd Natalie yn neud dillad isa i Marks & Spencer, wedi mynd i'r ffatri yn Northgate, lawr yn nociau Llanelli yn syth ar ôl gadel ysgol ar ôl Lefel O. Erbyn i ni gwrdda, ro'dd hi wedi bod 'da nhw am sawl blwyddyn. Ond caeodd y lle lawr a chollodd hi ei gwaith. Triodd hi sawl peth gwahanol, fel gwitho yn Co-op Cross Hands ac yn Boots. Tra bod hyn yn digwydd, a ni'n gweld ein gilydd yn rheolaidd erbyn hyn, ro'dd yr amser yn agosáu i fi fynd i Lunden. Wedyn da'th y pwynt pan 'nes i awgrymu y dyle hi ddod gyda fi i Lunden. Ro'dd y cyfle 'na iddi, ond wrth gwrs bydde hi ar ei phen ei hun yn y ddinas fowr a fi yn astudio yn yr Academi drwy'r amser. Buodd lot o drafod nôl a mla'n. Ond yn y diwedd penderfynodd Natalie y bydde hi'n dod gyda fi i Lunden. Cam mowr i ni'n dou.

Wel, ro'dd ishe lle i fyw wedyn, on'd o'dd e? Fi'n cofio mynd i'r Steddfod, ym mis Awst cyn mynd i Lunden ym mis Medi. Draw â fi i babell Cymdeithas Cymry Llunden ar y Maes a holi os o'n nhw'n gwbod am rywun o'dd yn cynnig llety. Ces i rif dyn o'r enw Fred Dyer, Cymro o'dd â busnes adeiladu ar bwys Wembley. Ceson ni air ar y ffôn, ac o'dd, ro'dd fflat dwy stafell wely 'da fe ar ga'l. Ethon ni i weld y fflat a chytuno i symud mewn.

Nethon ni baco'r bagie a bant â ni i Lunden 'da'n gilydd. Ro'dd ishe talu am y fflat nawr, wrth gwrs, a bant â Natalie i whilo am waith. O fewn dou ddwrnod, ro'dd hi'n gwitho rhan amser yn Richard Shops ar Oxford Street! O fewn pythefnos, fe roion nhw swydd amser llawn iddi. Symudon nhw hi wedyn i Selfridges, lle ro'dd hi'n rhedeg consesiwn Richard Shops. Pan newidiodd y cwmni o Richard Shops i Evans, fe gadwon nhw hi mla'n. Ro'dd hwnna'n help mowr i ni setlo a byw yn y ddinas fowr. Ro'dd y fath ddachre wedi dylanwadu ar benderfyniade byw eraill a o'dd yn dibynnu ar lle ro'n i'n gwitho.

Pan fennes i stydio, y jobyn proffesiynol cynta ges i o'dd yn *Carmen* gyda Chwmni Opera Cenedlaethol Cymru. Fe na'th hwnna godi sgwrs bellach rhwng Natalie a fi ynglŷn â lle dylen ni fyw. Ro'dd y ddou o'n i'n gweld ishe Cymru yn sicir a ro'dd hynna wastad yn dynfa gryf.

Pan o'n i'n ymarfer ar gyfer *Carmen*, ro'n i'n aros mewn fflat lawr ym Mae Caerdydd. Na'th rhai o'r bois weud wrtha i ei fod yn amser da i fuddsoddi mewn fflat yn y Bae. Ro'dd hwn ar ddachre cyfnod datblygiad uchelgeisiol Bae Caerdydd. Nawr yw'r amser, medden nhw wrtha i. Fe 'nes i wrando ar y cyngor. 'Na'r cyngor gore ges i. Rhoies i flaendal o £99 ar fflat ym Mae Caerdydd! Do wir!

Do'dd y fflat ddim wedi ca'l ei adeiladu eto, felly ro'dd yn rhaid i ni aros cwpwl o fisoedd cyn gallu symud mewn. Arhosodd Natalie lan yn Llunden am sbel, a finne gyda'r WNO lawr yng Nghaerdydd. Erbyn bod y fflat yn barod, llwyddodd Natalie i ga'l ei throsglwyddo i siop Evans yng Nghaerdydd a hi fuodd yn rhedeg y siop fan'na wedyn am rai blynydde.

Ro'dd yn fendith yn sicir i ga'l cwmni pan o'n i lan yn Llunden. Bydden i wedi mynd 'na yn nabod neb fel arall. Ro'dd e'n grêt bod Natalie yn neud rhwbeth hollol wahanol i fi ac yn beth da bod hi'n ca'l cyfle i weld yn union beth o'dd patrwm bywyd canwr opera. Fe dda'th hi'n rhan o'r patrwm bywyd cymdeithasol hefyd, a dod mas gyda ni'r stiwdants yn amal. Hyd heddi, pan wela i rywun o'dd yn coleg 'da fi, ma'n nhw'n gofyn siwd ma Natalie yn syth. Yn sicir, ro'dd yn her i'r berthynas, ond yn her dda, gadarnhaol. 'Na beth o'dd cyfnod gwerthfawr i'r berthynas, heb os.

Priodon ni yn y flwyddyn 2000. Ro'n ni wedi dyweddïo ers blynyddo'dd, a finne wedi gofyn iddi briodi fi un Nadolig gytre ar y ffarm. Ers hynny, ro'dd Natalie'n aros ac yn aros i fi sôn am briodas! Arhoses i tan y flwyddyn 2000 am un rheswm penodol – bydde fe'n hawdd i fi gofio am sawl blwyddyn fi wedi bod yn briod! Anghofia i byth!

Yn yr Eglwys ym mhentre Tymbl priodon ni. Ymhlith yr holl anrhegion hyfryd gethon ni gan bawb ar ein dwrnod mawr, un o'r goreuon, heb os, o'dd englyn i ni'n dou gan y prifardd Tudur Dylan, a o'dd yn byw ym Mhencader yr adeg honno a dyma fe –

Aled a Natalie

Eglwys Dewi Sant, Y Tymbl

Gorffennaf 15fed, 2000

> Ar fy hynt yn awr fe âf – i chwilio'i
> chalon un Gorffennaf,
> ac mewn gobaith fe deithiaf
> i Lannon dan heulwen Haf.

Y Prifardd Tudur Dylan

Aethom ar ein mis mêl i'r Maldives, a 'na beth o'dd nefoedd ar y ddaear. Tra ro'n ni mas yn y Maldives, awgrymodd Natalie falle ei bod yn feichiog. Ro'dd hi'n teimlo bod rhwbeth yn wahanol. Do'n i ddim yn dishgwl hynny. Do'n ni ddim wedi cynllunio ar gyfer y fath beth, yn sicr ddim mor gynnar â mis mêl ein priodas.

Nôl gytre, bant â ni i ga'l sgan i neud yn siŵr. Pan weles i'r sgan, ro'n i'n gwbod yn syth bo fi'n gallu gweld dou ben. Ro'n i'n ddigon cyfarwydd â gweld sgans da a defed a ro'dd hynny'n ddigon i weud wrtha i bod efeillied ar y ffordd! Nethon nhw gadarnhau hynny i Natalie a phan glywodd hi'r geirie, da'th yr emosiwn rhyfedda drosti. Ro'dd hi'n llefen y glaw! 'Na'r effeth gafodd y sioc arni hi. A do's dim gwadu ei fod e yn sioc go iawn! Dwi wedi gweud yn barod bod efeillied yn y teulu, ond ma'n dal yn itha syrpréis pan chi'n ca'l y cadarnhad bod e'n digwydd i chi. Ro'dd fy nhad-cu yn un o efeillied a dwy chwa'r Mam hefyd. Ro'dd y teulu wastad yn poeni fi taw fi, yr unig blentyn, fydde'n ca'l efeillied. A fel'na buodd hi! Ffindon ni mas wedyn taw un o bob un o'dd ein hefeillied ni. Cafodd Daniel ac Elen eu geni ar y 13eg o Fawrth 2001, a galla i weud wrthoch chi nawr, 'na beth o'dd newid byd!

Sain Ffagan
a lla'th powdwr

DA'TH YN DDIGON amlwg yn ddigon cloi nad o'dd fflat llawr cynta yn y Bae yn mynd i witho fel cartre i bâr 'da efeillied! Dim gobeth caneri. Ro'dd rhaid whilo am gartre newydd. Ro'n ni wedi gweld tŷ ro'dd y ddou o'n i'n lico ym mhentre Sain Ffagan. Ro'dd datblygiad newydd 'na, stad o dai, a ro'dd y cymal cynta'n dod i ben a dim ond dou dŷ ar ôl. Yn naturiol, ro'dd y datblygwyr am ga'l gwared â'r ddou dŷ ola 'na yn weddol gloi er mwyn gallu symud mla'n.

A Natalie'n dod i ddiwedd ei beichiogrwydd, 'ma ni'n trefnu i ymweld â'r tŷ dan sylw. Wrth gyrraedd, wedes i wrthi i adel i fi siarad am sbel ac yna, wrth i ni fynd lan lofft, iddi hi stopo, ishte ar y stâr a gweud bod poene geni aruthrol 'da hi. Ceson ni ddachre da i'r ymweliad gan fod y fenyw o'dd yn dangos ni rownd yn dwli ar opera. Ro'dd hi wrth ei bodd pan glywodd hi mai canwr opera o'n i. Pwysleisies i wedyn bod wir angen tŷ arnon ni cyn gynted â phosib gan fod Natalie bron yn barod i roi genedigeth ac ro'dd un pip ar Natalie yn cadarnhau hynny'n ddigon clir! Lan llofft â ni, a 'ma Natalie yn ishte lawr ar y stâr yn sydyn, *en cue*, yn amlwg mewn poen mawr, ac yn gweiddi yn y poen 'na! Tendo at Natalie fflat owt o'dd hi wedyn. Ar ôl sbel fach, a phethe wedi setlo – neu â'r actio drosodd i fod yn fanwl gywir! – dachreuodd Natalie a fi drafod busnes 'da'r fenyw gwerthu tŷ.

Ro'n i'n gwbod eu bod nhw'n awyddus iawn i ga'l gwared ar y tŷ a ro'dd Natalie wedi neud yn siŵr bo nhw wedi deall ein hangen ni i symud yn gloi. Siwd bydde pethe'n mynd tybed? Wel, alle fe ddim fod wedi mynd yn well. Llwyddes i ga'l £20,000 bant ar brish y tŷ! Typical West Walian Farmer! Ro'n i wedi ca'l athro da yn Dad wrth ddod at haglo am y pris gore! Ar ben hynny, wedes i bydde'n i'n rhoi tocynne opera iddi pan ro'dd hi ishe rhai. Ac yn wir, parodd y trefniant 'na am dros bum mlynedd!

Ro'dd gofyn gwerthu'r fflat yn y bae wedyn, wrth gwrs. Wel, nag o'dd mewn gwirionedd, achos y funud symudes i mewn i'r fflat, wedodd yr hen bartner coleg, Rob Nicholls, y bydde fe'n prynu'r fflat ta pryd fydden i'n barod i'w werthu fe. Felly ro'dd prynwr 'da fi'n barod!

Ro'n i ar daith gyda Chwmni Opera Cenedlaethol Cymru wrth i'r broses o brynu'r tŷ dynnu at y diwedd. Y ddou beth mwya stresffwl gallwch chi neud mewn bywyd, medden nhw, y rhai sy'n gwbod, yw prynu tŷ a cha'l plant. Yffach, ro'n i'n neud y ddou beth yr un pryd a hynny tra bo fi ar yr hewl a bant o gytre!

Nos Wener o'dd hi a ro'n i'n perfformio mewn opera ym Mryste. Ar ôl i'r sioe fenni, nôl gytre â fi a chyrraedd yn yr orie mân. Cafodd yr efeillied eu geni yn y bore a chafon ni allweddi'r tŷ newydd yn y prynhawn!

Ro'dd Dad a Mam a fi wedi symud y celfi i gyd o'r fflat i'r tŷ mewn cwpwl o ddyddie, tra bo Natalie yn yr ysbyty, a ro'dd y cwbwl yn barod erbyn iddi ddod mas. A finne wedyn nôl ar daith gyda'r Cwmni Opera! Ro'dd bywyd newydd wedi dachre!

Tri mis ar ôl i'r plant ga'l eu geni, ro'dd gofyn i fi fynd bant i Ffrainc i ganu yn *The Marriage of Figaro* gyda chwmni opera Aix-en-Provence. Na'th hwnna greu itha penbleth i fi am nad o'n i ishe gadel y plant am gyfnod mor hir a nhwthe newydd ga'l eu geni. Yn naturiol, ro'dd y tad newydd am fod gydag Elen a Daniel. Penderfynon ni y bydde fe'n syniad da i'r teulu ddod mas 'da fi. A fel 'na buodd hi. Da'th Natalie, y plant a Mam mas i Aix-en-Provence am dri mis. Ro'dd Mam wrth law i helpu Natalie wedyn pan ro'n i mewn ymarferion a sioeau ac ati. Geson ni apartment mas 'na am y cyfnod i gyd, un â phwll nofio. Ro'dd hi'n ganol haf a'r tywydd yn fendigedig. Buodd Dad yn ddigon lwcus i ga'l cyfle i ddod mas aton ni am wylie a ro'dd e'n braf i ni gyd fod 'na 'da'n gilydd am gyfnod. Da'th digon o ffrindie mas i weld ni a'n helpu ni tra o'n ni yna hefyd.

Do'dd dim cyfleusterau i'r babis yn benodol, wrth gwrs, a do'dd dim cot i'r efeillied gysgu ynddo fe. Wel, do'dd dim gobeth mynd â un mas 'da ni, felly'r ateb syml o'dd rhoi Daniel i gysgu mewn tywelion yng nghes Natalie ac Elen i gysgu mewn tywelion yn fy nghes i! Ro'dd hwnna'n cynnig ateb syml pan fydde un ohonyn nhw'n llefen neu'n sgrechen – cau clawr y ces!

Ro'dd y babis wedi ca'l eu magu ar la'th fformiwla. Fe drion ni ryw ddou neu dri gwahanol fath pan gafon nhw eu geni, ond do'dd dim un yn eu digoni nhw. Fe nethon ni ffindo un o'dd yn gwitho o'r diwedd. Ond wrth gwrs do'dd hwnna ddim ar ga'l yn Ffrainc! Un ateb o'dd, troi at fy ffrind Rob Nicholls. Fe bostiodd e barsel mowr o la'th powdwr o Gymru mas i ni yn Ffrainc, ware teg iddo fe! Dwi'n amal yn meddwl beth fydde'r awdurdode wedi meddwl tase un o'r parseli powdwr gwyn wedi torri ar agor! Petaen nhw ond yn gwbod bod y boi halodd y powdwr nawr yn weinidog!

Ma Ffrancwyr yn dwli ar blant a ro'n nhw wedi dwli'n llwyr ar y ffaith taw efeillied o'dd 'da ni. Ro'n nhw'n rhyfeddu'n fwy byth o weld mai bachgen a merch o'dd yr efeillied. Ma hynny'n rhodd gan Dduw, medden nhw! Allen ni ddim mynd lawr yr hewl mwy na deg llath heb fod pobol yn dod aton ni i weld y plant a neud ffys ohonyn nhw. Na'th e lot o les i fy Ffrangeg i! Ma'r plant hyd heddi yn sôn am y cyfnod 'na yn Ffrainc, ac o bryd i'w gilydd yn gweud mewn sgwrs iddyn nhw fyw yn Ffrainc pan o'n nhw'n blant! Ma'r ddou yn eu hugeinie nawr, a'r bwriad un dwrnod yw i fynd nôl fel teulu i Aix. Edrych mla'n!

Rhyw bedwar mis yn ddiweddarach, cafodd yr un cwmni wahoddiad i fynd â'r un cynhyrchiad mas i Siapan. Dda'th y teulu ddim 'da fi i fan'na yn anffodus.

'Na brofiad o'dd hwnna. Ro'n i'n aros yng nghanol Tokyo, mewn gwesty tŵr uchel yn ninas Shibuya, yn edrych lawr ar orsaf trene'r ddinas. Ro'dd y bobol yn edrych fel haid o forgrug lawr o dana i. Ma'n nhw'n gweud bod tair miliwn o bobol yn defnyddio'r orsaf bob dydd, credwch neu beidio – yr un faint â phoblogeth Cymru.

Ro'n ni'n perfformio yn theatr Bunkamura, theatr anhygoel o safon byd-eang, heb os, gyda'r acwstics gore dw i wedi eu profi erio'd. Anodd disgrifio mor wahanol o'dd ansawdd y sain 'na. Ma'n ddigon teg gweud bod y Siapaneaid yn ddwl am opera! Dda'th lot fowr i fwy nag un perfformiad o'n sioe ni.

Nethon ni bedair sioe i gyd. Pob nos ro'dd canno'dd o bobol mas tu fas yn gofyn am lofnod. Ar y noson ola, ro'dd llwyth o bobol 'na yn gofyn i ni arwyddo llunie ohonon ni'n hunen! Beth o'n nhw 'di neud o'dd tynnu'r llunie ar y noson gynta, neu'r ail noson, eu printo nhw, a dod nôl wedyn i ni eu harwyddo nhw! Weles i erio'd siwd beth. 'Can you sign this for me please?' medde un person, ac wrth i fi ddachre arwyddo, na'th y llun ddala'n llyged i. 'Hey, that's me!' medde fi'n gwbwl syn. Ac nid llunie o'n ni yn y perfformiad o'dd rhain, o na, do'n nhw ddim yn ca'l tynnu llunie mewn tu fewn. Llunie o'dd rhain o'n ni tu fas, yn ein dillad ein hunain yn arwyddo llofnodion, yn cerdded neu jyst yn sefyll lle ro'n ni!

Anghofia i byth un boi, eto ar y noson ola. Ro'dd e wedi ca'l llofnod pob un heblaw am un canwr. Ffindodd e mas ble ro'n ni gyd yn aros ac arhosodd e yn nerbynfa'r hotél nes bod y canwr 'na yn dod nôl. Ond y pwynt yw, gan taw'r noson ola o'dd hi, ro'n ni gyd wedi mynd mas am y nos. Cyrhaeddon ni nôl tua pump y bore. A ro'dd y dyn dal 'na yn aros i ga'l ei lofnod!

Sdim dowt bod mynd i Siapan yn agoriad llygad. O'dd, ro'dd e'n gam mowr i grwt ffarm fynd i Lunden. Ro'dd tri mis yn Ffrainc yn newid byd. Ond ro'dd diwylliant Siapan mor, mor wahanol. 'Nes i ddwli ar weld y ffordd o fyw – a diolch byth, 'nes i ddwli ar eu bwyd nhw hefyd!

Ro'dd mynd i'r wlad yn cynnig cyfle arall i fi a hynny am resymau personol, braf iawn. Yn fy nhymor cynta yn yr Academi, fe ddes i'n ffrindie da 'da tenor o Siapan o'r enw Hirohisa Tsuji. Ro'dd e yn ei flwyddyn gynta hefyd, newydd gyrraedd y wlad gyda'i wraig, Akane, a o'dd yn gyfeilyddes. Ro'n nhw'n byw mewn fflat o'dd yn rhy fach i swingo cath ynddo, reit ar bwys yr Academi. Pan dda'th diwedd y tymor cynta, geson ni sgwrs ynglŷn â'u cynllunie nhw ar gyfer y Nadolig. Ro'n nhw am dreulio'r Nadolig yn Llunden, medden nhw. Do'dd dim digon o arian nac amser 'da nhw i fynd nôl i Siapan. A ma fi'n gofyn iddyn nhw wedyn a o'n nhw wedi bod yng Nghymru erio'd. Do'n nhw ddim yn gwbod lle o'dd Cymru. 'Right, pack your bags, you're coming to Wales for Christmas.' A fel'na buodd hi. Da'th y pâr o Siapan i aros yn Nolgran.

'Na beth o'dd Nadolig cwbwl anhygoel. Un o'r gore i fi ei ga'l erio'd. Ro'dd y pâr mor annwyl a phawb na'th gwrdda nhw nôl gytre yn dwli arnyn nhw. Do'dd

Mam a Dad ddim wedi cwrdda neb tebyg erio'd, ond dethon nhw mla'n yn arbennig 'da nhw, a ma'n nhw'n dal mewn cysylltiad. Do'dd dim prinder o aelodau teuluol yn galw. Ceson ni lot o sbort wrth i Hirohisa drio dysgu geirie drwg yn Siapanaeg i fi a finne'n dysgu geirie drwg Cwmrâg iddo fe!

Ceson nhw lwyth o anrhegion gan y teulu a ffrindie a ro'dd y cyfan yn ormod iddyn nhw. Ro'n nhw yn eu dagre wrth weld y domen anrhegion. Un noson, sai'n cofio os taw nos Nadolig o'dd hi ond fi'n credu falle taw e, sylwes i bod gole eu stafell nhw mla'n drw'r nos. Ro'n i'n becso bod rhwbeth yn bod. Da'th yr ateb i'r amlwg yn y bore. Ro'n nhw wedi bod lan drw'r nos yn neud anrhegion origami i Dad, Mam, Natalie a fi. Nethon nhw *chest of drawers* bach i Mam ga'l roi jiwelri ynddo fe, bobo ddraig goch i Dad a fi a bocs i Natalie gadw pethe bach. Weles i erio'd siwd waith manwl – ro'dd drôrs y *chest of drawers* yn agor a chau hyd yn o'd! Am bobol feddylgar ac am anrhegion creadigol, unigol, arbennig!

Na'th Hirohisa, Akane a fi gyngerdd ym Mhontyberem y diwrnod ar ôl Nadolig. Ro'dd fy Wnwcwl Beri, tad Angharad, wedi penderfynu y bydde fe'n syniad da i gynnal cyngerdd yn Eglwys y pentre ar Ŵyl San Steffan. Nethon ni sawl unawd yr un, ambell ddeuawd, a fuodd Akane yn cyfeilio i'r ddou ohonon ni. Ro'dd yn llwyddiant arbennig, a phawb wedi joio! 'Na beth o'dd Nadolig llawn anrhegion o bob math!

Felly, pan ro'n i draw yn Siapan, dyma ni'n cysylltu

unweth eto a chwrdda am y tro cynta ers sbel. Ro'n nhw am dalu'r ffafr yn ôl am y croeso gafon nhw'r Nadolig hwnnw. Ethon nhw â fi mas i dŷ bwyta anhygoel i ga'l pryd o fwyd saith cwrs. Ro'dd pysgodyn un cwrs rhyw dair troedfedd o hyd ac yn gorwedd ar ganol y ford! Helpwch eich hunan bois, o'dd hi! Ethon nhw â fi i ymweld â sawl lle o ddiddordeb yn eu hardal wedyn a ches flas go iawn ar eu ffordd nhw o fyw.

Ro'n i yn Siapan ar ddachre'r tymor reslo swmo. Pan ddachreuodd Sky, ro'dd swmo yn ca'l ei ddangos ar Eurosport a ro'n i wrth fy modd yn watsho fe gytre. O glywed bod y tymor ar fin dachre a finne yn y wlad, ro'dd yn rhaid trefnu mynd i weld gornest. Fe es i gyda ffrind i fi o Wlad yr Iâ, Janne, a ro'dd e tua chwe troedfedd pum modfedd ac yn pwyso rhyw bum stôn ar hugain. Ma twrnament swmo yn para trw'r dydd gyda chystadleuthe gwahanol ac yna ma'r sêr mowr – ym mhob ystyr o'r gair – yn ymladd yn y nos. Ma'r sêr 'ma fel sêr pop go iawn, yn cyrraedd yn eu limos i gymeradwyeth fyddarol, sgrechen a gweiddi wrth gannoedd o bobol sydd 'na i gwrdda nhw. Ma nhw'n ca'l eu haddoli go iawn!

Ceson ni docynnau reit yng nghefn y stadiwm lle ro'dd y twrnament. Sylweddolon ni'n itha cloi bod lot o'r seddi gore yn y bla'n yn wag. Felly, 'ma ni'n mentro symud mla'n gan bwyll, o res i res, yn slow fach, i gyrraedd seddi llawer gwell, agosach at y sgwâr reslo. Trodd rhai o'n bla'n ni rownd ar un pwynt, a gweld ni'n gweiddi a thasgu ar y rhai a o'dd yn cymryd rhan mewn rhyw ornest neu'i gilydd.

Sylwon nhw wrth gwrs nad o'n i'n lleol a wedyn sylwi ar Janne. 'Oh,' medden nhw, 'you must be Sumo wrestler!' Wel, o'dd e'n gyment o demtasiwn i weud ei fod e, ond fe benderfynon ni taw'r peth calla o'dd gweud mai cantorion opera o'n ni! Gofynnon nhw o ble ro'n ni'n dod. Ro'n nhw heb glywed am Gymru, wrth gwrs, ac ro'dd gofyn gweud bod Cymru ar bwys Lloegr. 'Ah, David Beckham!' medden nhw'n syth wrth glywed hynny. 'Yes, yes, Dai Beckham,' medde fi, 'Dai Beckham, my cousin.' Wel, os do fe! Ro'n nhw wedi gwirioni'n llwyr. Nethon nhw edrych ar ôl y ddou ohonon ni drw'r dydd. Do'dd dim prinder bwyd na diod i ni'n dou o'r foment 'na mla'n.

Fel troiodd e mas, y boi o'dd yn ein cadw ni i fynd o ran bwyd a diod o'dd un o brif hyfforddwyr swmo Japan! Triodd e cwpwl o weithie i berswadio Janne i hyfforddi fel reslwr swmo, gan gynnig chwe mis o hyfforddiant iddo fe. Wedyn dachreuodd e siarad am fyd opera 'da ni, cyn troi rownd a gofyn os bydden ni'n fodlon canu i'r gynulleidfa. A fel'na buodd hi. Yn ystod egwyl rhwng dwy ornest, mewn â fi i'r sgwâr reslo a ganes i 'Hen Wlad fy Nhadau' iddyn nhw! Un o'r profiade mwya anhygoel sydd wedi aros yn y cof, rhaid cyfadde.

Ar ôl dod nôl gytre, 'nes i droi i edrych ar swmo ar Eurosport. Wel, 'na le o'n i yn gweld fy hunan ar y teledu yn siarad gyda'r bois 'ma yn y twrnament yn Tokyo! Yn anffodus, ma'r hyfforddwr swmo 'na'n dal i aros am y crys 'nes i addo iddo fe, wedi ei arwyddo gan fy 'nghefnder' Dai Beckham!

Frank a deg dwrnod

NÔL YN SAIN Ffagan, setlon ni'n dda iawn fel teulu yn y tŷ a'r pentre. Hynny yw, tan iddi ddod yn amser meddwl am ddewis ysgol i'r plant. Ro'dd hyn ddim yn bell o ryw ugen mlynedd yn ôl, cyn i'r tyfiant mowr yn ysgolion cynradd Cwmrâg Caerdydd gydio go iawn. Ro'n ni'n naturiol yn awyddus i'r ddou ga'l addysg Gwmrâg. Wel, fe geson ni itha siom. Cafodd un o'r efeillied ei dderbyn yn yr ysgol ro'n ni am iddyn nhw fynd, ond ddim y llall. Am sefyllfa i roi teulu ynddi! Do'dd dim un ffordd yn y byd y bydden ni'n derbyn sefyllfa fel'na. Ar yr un pryd, ro'dd awydd gref yn y ddou ohonon ni i fagu'r plant yng nghefen gwlad. Felly, ro'dd yr amgylchiade'n cyfeirio ni at symud eto. 'Na'r hwb i ni symud nôl i ardal Pencader a rhoi'r plant yn yr ysgol lle es i.

Y cynllun o'dd i ni adeiladu tŷ i ni'n hunen ar dir ffarm Dad a Mam. Ond cafodd y caniatâd cynllunio ei wrthod dro ar ôl tro ac yn anffodus 'na ddiwedd ar y syniad 'na. Bues i'n brwydro'n galed i drio ca'l caniatâd, ond do'dd dim modd symud yr awdurdode. Dyw e ddim cynddrwg y dyddie 'ma, ond mae'n dal yn anodd i bobol ifanc sydd am wneud yr un peth ag ro'n ni ishe neud, a dod nôl gytre. Sai'n deall hwnna, gan taw'r ffarmwr sydd bia'r tir beth bynnag. Ac yn wa'th byth, bydden i wedi ca'l caniatâd, yn ôl pob tebyg, petawn ni'n dod nôl gytre i ffarmo. Y ffaith nad o'n i'n dod nôl i ffarmo o'dd y rhwystr. Ma hwnna'n hala fi'n benwan!

Werthon ni'r tŷ yn Sain Ffagan yn weddol gloi, diolch byth. Ro'dd ffrindie i Dad a Mam yn berchen ar ambell blot o dir ym mhentre Pencader. Felly penderfynon ni adeiladu tŷ ein hunen fan'na. Ro'dd 'da fi syniad clir iawn o'r fath o dŷ ro'n i ishe byw ynddo fe. Felly 'ma fi'n penderfynu cynllunio'r tŷ fy hunan. Ro'dd wastad diddordeb 'da fi mewn pensaernïeth, er bo fi ddim wedi dod yn agos at astudio'r pwnc na dim byd fel'na. Ond, nawr ro'dd cyfle i roi cynnig arni!

Fi na'th y cynllunie i'n tŷ newydd ni i gyd. Ro'dd y broses yn debyg iawn i gyfansoddi cerddorieth, credwch neu bido. Ro'n i'n gallu clywed y gerddorieth gyflawn yn fy mhen cyn ei rhoi i lawr ar bapur. Fel'na o'dd hi 'da'r tŷ hefyd. Ro'n i'n gallu gweld y tŷ cyflawn yn fy mhen a wedyn yn gallu rhoi'r cwbwl lawr fel cynllunie papur. Ro'n i'n gwbod ble ro'dd pob soced trydan fod i fynd! Ro'dd yr adeiladwr wedi gwitho oddi ar fy nghynllunie i. Diolch byth, troiodd popeth mas yn gywir fel ro'n i wedi bwriadu.

Ma diddordeb fel'na yn siŵr o ddod o rywle. Yn fy achos i, y tebygrwydd yw ei fod nôl yn yr ache, yn y DNA, gan fy mod yn perthyn i'r pensaer enwog Frank Lloyd Wright. Ro'dd e'n bensaer dylanwadol byd-eang, gyda'i athronieth am bensaernïaeth organic. Cynlluniodd dros fil o adeiladau amlwg mewn sawl gwlad. Taliesin o'dd enw ei gartre am bod ei fam Anna Lloyd Jones yn Gymraes o Geredigion a'i dad-cu yn weinidog 'da'r Undodwyr yn yr un sir. I'w theulu hi ni'n perthyn, ond fi heb neud yr ymchwil i wbod yn union beth yw'r cysylltiad. Ond ble bynnag ma'r brige a'r canghene'n cysylltu ar y goeden deuluol, dwi'n ddiolchgar iawn am y gwreiddie!

Symudon ni o Sain Ffagan i Bencader, a setlodd y plant yn fy hen ysgol gynradd i. Fel'na buodd hi am sawl blwyddyn. Ond ro'dd yr awydd i fynd nôl i fyw ar y ffarm yn dal 'na. Ro'dd yn awydd gref. Ro'dd yn ddigon amlwg na fydden ni'n ca'l adeiladu tŷ newydd 'na. Ond a o'dd ffordd arall rownd y broblem? Dyna'r cwestiwn o'dd yn cnoi ac yn cnoi tra bo ni'n byw yn y tŷ newydd ym mhentre Pencader. Yn y diwedd, yr ateb o'dd gweld a allen ni droi un o'r adeilade ar glos y ffarm yn fwthyn a fydde'n gartre i deulu o bedwar.

Es i nôl at y bois o'dd yn gyfrifol am ganiatâd cynllunio yn y sir a gofyn am enw boi da i helpu fi i greu cynllunie i droi hen adeilad ffarm yn gartre. Ces i enw boi o Lanelli yn syth, Byron Darkin. Do'n i ddim yn siŵr siwd bydde pethe'n gwitho mas pan es i i weld e, cofiwch. Ro'dd golwg digon anniben arno fe a ro'dd popeth dros y lle i gyd yn ei swyddfa. Do'dd dim lot o hyder 'da fi ynddo fe yn ôl beth o'n i'n gallu gweld. Ond, gan i fi ga'l ei enw gan bobol o'dd yn gwbod eu stwff, mla'n â fi.

Allen i ddim fod wedi ca'l pensaer gwell. Roies i'r

cynllunie ro'n i wedi eu creu ar gyfer yr adeilad ro'n i ishe addasu iddo fe. O fewn deg munud, ro'dd e wedi gwitho mas siwd galle'r adeilad witho fel cartre teuluol. Ro'dd e'n anhygoel! Y trueni mawr yw i Byron farw cyn gallu gweld y gwaith wedi cwpla.

Saif yr hen adeilad carreg ar y chwith wrth y gât i glos y ffarm. Ac ers i fi ga'l fy ngeni, mae e wedi bod yn rhan o fywyd gwaith y ffarm. Fan'na ro'dd y lloi a'r ebolion yn ca'l eu magu, fan'na o'dd y bin llafur mawr a mewn cornel arall ro'dd y tato a'r swêds yn ca'l eu cadw. Nawr, ma'r gegin lle ro'dd y lloi a'r ebolion, y lolfa lle ro'dd y bin llafur a'r tŷ bach lle ro'dd y tato!

Ers creu y cynllun cynta 'na i'r tŷ ym Mhencader, ma'r diddordeb mewn cynllunio wedi cydio'n barhaol. Os bydda i ynghanol dysgu rhyw ddarn opera neu'i gilydd, dwi wrth fy modd yn estyn papur a phensil a chynllunio tŷ, neu fyngalo neu beth bynnag er mwyn ca'l dihangfa o'r gwaith. Ma'n gyfle i neud rhwbeth hollol wahanol a ma angen y newid 'na arnon ni i gyd weithie.

Pan ro'n i yn yr ysgol, ro'n i'n casáu maths. Ond nawr, wrth ddelio 'da mesuriade ac ati wrth gynllunio, ma'r cyfan yn dod at ei gilydd yn hwylus o hyfryd. Ma'n ffordd arbennig o dynnu sylw oddi ar y gwaith, fel ro'dd y Motocross yn ei neud hefyd. Ma'r broses feddwl mor wahanol i ddysgu geirie neu ddysgu cerddorieth a deall cymeriad. Ma wastad ishe rhwbeth i dynnu'r sylw oddi ar y gwaith ac ma ishe'r meddwl i witho mewn ffyrdd gwahanol am sbel fach. Fel'na ma cadw'n siarp – a ma hwnna hefyd, wrth gwrs, yn golygu bod fy agwedd at y gwaith ei hunan yn cadw'n siarp hefyd.

Ro'dd yn foment sbesial iawn i symud mewn i'r hen adeilad ffarm a o'dd nawr wedi ca'l ei droi yn gartre i deulu o bedwar. Ma Mam a Dad yn dal i fyw yn y tŷ ffarm ar draws y clos, ac ma'r plant wedi ca'l eu magwreth Gwmrâg yng nghefn gwlad. I fi, ma'n hyfryd gallu benni mewn opera mewn unrhyw fan yn y byd a gwbod bo fi'n dod nôl i'r filltir sgwâr yn y cornel bach o Gymru lle ges i fy ngeni.

Chi wedi gweld erbyn hyn ma'n siŵr bod teithio a bod bant o gytre lot yn rhan fowr o'n ffordd i o fyw. Ma hwnna wedi rhoi profiade gwerthfawr di-ri i fi, sdim dowt. Ond ma bod bant o gytre yn gallu golygu dod yn rhydd o'r gwreiddie. Gall golygfeydd newydd, dieithr dynnu sylw oddi ar beth sy'n bwysig. Des i i fan lle ddigwyddodd hwnna i fi.

Dw i wedi perfformio lot gyda chwmnïe opera gwahanol yn ardal ehangach Llunden ac mewn neuaddau o amgylch y ddinas. Ar ddachre'r mileniwm, ro'n i'n digwydd bod yn Llunden cryn dipyn. Ma'n gallu digwydd fel'na. Datblygodd patrwm pendant i fy ffordd o fyw dros rai misoedd. Bydden i'n neud sioe a wedyn yn mynd mas gyda'r cantorion a'r cerddorion eraill, neu gyda ffrindie. Bydden i mas trwy'r nos. O gofio pwy o'dd gyda fi, ro'dd canu tra bo ni mewn tafarn yn rhwbeth gwbwl naturiol. Ac ro'dd wastad yn rhaid i fi fod yng nghanol yr holl sylw. Dwi ddim yn credu bo fi'n gallu mynd mewn i dafarn heb fynd ar ben ford cyn diwedd nos. Fi fydde'n arwain. Fi fydde'n ca'l pawb i werthin. Fi fydde'r prif gymeriad. Bydden i'n canu mwy ar ôl perfformiad na bydden i yn y perfformiad ei hunan. Ac ro'dd alcohol yn bwydo'r cyfan wrth gwrs.

Wedyn ar ôl bod mas drw'r nos, bydden i'n cysgu drw'r dydd, cyn mynd nôl i'r theatr ar gyfer y perfformiad nesa. A wedyn nôl mas 'to ar ôl y sioe, cysgu drw'r dydd, mynd i'r sioe nesa, mas 'to ac yn y bla'n. Fe 'nes i hyn am rai wthnose'n ddi-dor. A 'nes i joio pob munud! Ro'dd yn deimlad braf i weld pawb yn mwynhau cyment. Ar yr un pryd, ro'n ni fel criw yn closio at ein gilydd wrth i ni fwynhau cymdeithasu trwy ganu ac yfed. A ro'dd cwsmeriaid eraill y dafarn yn ca'l adloniant o safon am ddim – a'r tafarnwr wrth ei fodd bod pawb yn prynu peints i bawb! Pawb yn hapus.

Ar ddiwedd un o'r cyfnode 'ma, fe ddes i nôl gytre ac fe drefnon ni fynd ar wylie fel teulu. Bant â ni, Natalie, fi a'r plant i garafán yn Ninbych-y-pysgod. Alle patrwm bywyd ddim wedi bod yn fwy gwahanol i'r un ro'n i newydd ei adel yn Llunden. Ro'dd e'n hyfryd ca'l bod nôl gyda'r teulu ac a bod yn onest o'n i angen ymlacio!

Ond wrth godi un bore, 'na beth o'dd yffach o sioc. Do'dd dim llais 'da fi. Dim o gwbwl. Ces i lond twll o ofan. Ro'dd cloc y corff yn amlwg wedi ca'l job yr yffarn i ymateb i'r newid patrwm ac wedi rhoi lan. Dda'th y llais ddim nôl ar yr ail ddwrnod na'r trydydd. Fel ro'dd y dyddie yn mynd yn eu bla'n, ro'n i'n ofni ac yn becso mwy a mwy. A sai erioed wedi bod yn un i boeni na becso am ddim byd. Ond, fe ges i ofan go iawn. Siglad. Deffro yn y bore yn y gobeth bod y llais nôl, agor fy ngheg, ond dim byd yn dod mas. 'Mae ar ben arna i,' o'dd yr unig frawddeg o'dd yn troi rownd a rownd yn fy mhen fel carreg drom.

Bues i heb lais am ddeg dwrnod. Dyna gyfnod gwaetha fy mywyd. Ro'n i'n gweld fy ngyrfa'n diflannu o fla'n fy llyged. Ro'n i'n edrych ar y plant yn chware ac yn meddwl am eu dyfodol nhw. Fydden i ddim yn gallu darparu ar gyfer y teulu. Beth nelen i? Ro'dd y cwbwl ar ben. Cwmwle du mewn awyr a o'dd yn las fel dwrnod o haf cyn hynny.

Ro'dd Dad yn gwbod yn union beth o'dd beth. Ro'dd e'n amlwg yn grac iawn 'da fi a do'dd dim amynedd 'da fe 'da'r ffordd ro'n i wedi bod yn bihafio yn y cyfnod cyn y gwyliau yn Ninbych-y-pysgod. Rhoddodd e bryd o dafod go iawn i fi, ac edrych i fyw fy llyged a'n herio i i sorto fy mywyd i mas. Ma honna'n sgwrs anodd rhwng tad a mab sy'n oedolyn. Ond ro'dd ishe hi.

Ro'n i'n gwbod bod angen i fi droi pethe rownd. Sdim dowt ro'n i'n joio yfed, fel ma'r storïau am y Cŵps yn Aberystwyth wedi dangos i chi. 'Nes i erio'd weld y pwynt o fynd mas am un peint pan ro'dd deg yn bosib. Yn nyddie Aber, ro'n i wastad yn yfed dwbwl cyment â Rob. Ma 'nhad wedi gofyn i fi droeon i fi fynd mas 'da fe am beint a dw i ddim wedi neud gan fod mynd mas am un i fi yn wastraff amser. Ond ro'dd yn amlwg nawr bod angen meddwl am faint ro'n i'n yfed a'r ffordd o fyw dda'th yn sgil hynny.

Ond nid styried torri lawr ar yfed, neu beidio yfed
o gwbwl o'dd yr her fwya i fi. O na. Ro'dd y mwynhad
o fod yng nghanol pethe, yn arwain y canu, yn gweud
y jôcs, yn ganolbwynt i'r sylw yn golygu mwy i fi na'r
yfed. Hwnna o'dd y wefr. A o'dd meddwl am roi'r gore
i hynny'n fwy anodd o lawer am y rheswm syml bod
hynna i gyd yn bethe digon iach ac yn sbort. O'n nhw'n
brofiade adeiladol o'dd yn codi ysbryd ac enaid pawb
o'dd yno. O'dd meddwl am beidio neud rhwbeth o'dd
yn teimlo mor iawn yn dipyn fwy anodd.

Ond wrth gwrs, ro'dd yr holl beth yn ca'l effaith
negyddol arna i'n bersonol ac yn gorfforol. Ro'n i
wedi rhoi hamrad i'r corff ac fe na'th y corff ddachre
ymladd nôl yn Ninbych-y-pysgod. Ro'dd y corff wedyn
wedi dachre gofyn cwestiyne i'r teimlade. Do'dd dim
cwestiwn, ro'dd rhaid i fi newid pethe.

'Nes i roi stop ar yr yfed yn syth, dim ware. Fe ga i
ambell beint nawr ac yn y man, ond sai'n gweld ishe'r
hen ffordd o yfed o gwbwl a do'dd e ddim yn anodd
rhoi'r gore iddo fe. Da'th y partis drw'r nos i ben hefyd.
Ac eto, os oes cyfle'n dod i ganu mewn tafarn, neu
beth bynnag, fe wna i neud hynny o bryd i'w gilydd.
Sai wedi stopo sefyll ar ben ford yn gyfangwbwl! Ond
ma'r cyfan dan reoleth nawr, ers sawl blwyddyn. Rhan
o fywyd yw pethe fel'na, nid bywyd i gyd.

Ma'n bosib bo 'da fi bersonoliaeth *addictive* achos
wedi newid fy ffordd o fyw, fe 'nes i droi at gadw'n
heini a throdd hwnnw bron yn obsesiwn. Dachre
'da cerdded lot 'nes i, a wedyn dachre rhedeg.
Anodd credu erbyn hyn bo fi wedi benni tri hanner

marathon a nifer fawr o rasus 10K. Ma'r rhedeg a'r cadw'n heini wedi cymryd drosodd fel rhwbeth dwi wrth fy modd yn ei neud a sai'n gallu gadel fynd arnyn nhw.

Pan ro'n ni yn y garafán, ro'n i'n pwyso rhyw 16 stôn, o'dd yn fwy nag o'n i wedi bod erio'd. Ond do'n i ddim yn teimlo'n anhwylus mewn unrhyw ffordd, nac yn teimlo bod unrhyw beth o'i le. Do'n i ddim dan yr argraff bod fy mherfformio na fy llais yn diodde o gwbwl oherwydd y pwyse na'r ffordd o fyw. Do'dd dim arwydd bod pethe ar fin mynd ar chwâl fel nethon nhw yn y garafán.

Ond wedi dachre newid patrwm fy mywyd, ac ailgydio yn y canu, ces i sioc arall, sioc o fath cwbwl wahanol. Nid yn unig ro'dd y llais wedi dod nôl, ro'dd yn well nag o'dd e cyn hynny. Yn wir, ro'dd yn well nag o'dd e wedi bod erio'd. Ro'dd hynny'n dipyn o sioc i fi, ond yn un ddigon, ddigon derbyniol!

Ro'dd y deg dwrnod 'na yn uffern heb os. Ond yn wahanol iawn i lot fowr o bobol yn yr un proffesiwn â fi, fe ges i ail gyfle: ail gyfle i ddod nôl yn iach, ail gyfle i droi cefen ar y sefyllfaoedd na'th greu'r drwg, ail gyfle gyda'r teulu ac ail gyfle gyda'r llais. Bydda i'n ddiolchgar am hynny tra bydda i ar y ddaear 'ma, ac yng ngeiriau'r dywediad, 'ysgol ddrud yw ysgol brofiad'.

Yr Aled Hall

MA LOT YN gofyn i fi siwd i fi'n ca'l rhan mewn opera, siwd ma'r gwaith yn dod mewn. Wel, ma sawl ffordd am wn i. Y rhan fwya amlwg yw'r clyweliade traddodiadol. Ca'l galwad i sefyll o fla'n pobol o bob math a chanu iddyn nhw. Ma trefniant fel'na yn dal i fod yn hollbwysig. Ma asiant 'da fi, wrth gwrs, a ma fe'n chwilio an waith i fi ac yn cynnig fy enw ar gyfer gwahanol ranne pan ma fe'n clywed beth sy ar y gweill. Fel y'ch chi'n magu profiad ma pobol yn dod i wbod amdanoch chi, yn gyfarwydd â'ch enw chi ac yn fwy tebygol o ofyn amdanoch chi.

Ond hyd yn o'd os yw'r asiant yn llwyddo i ga'l cwmni cynhyrchu i ddangos diddordeb yndda i, ym mha ffordd bynnag, ma dal rhaid i fi droi lan i'r clyweliad a pherfformio. Ma rôl 'da fi yn y broses wrth gwrs. Nid pypet ydw i! Er enghraifft, ma fe lan i fi siwd dwi'n ymateb i unrhyw glyweliad sy'n ca'l ei gynnig i fi. 'Ma chi enghraifft.

O'n i mas 'da Phil ar y Motocross unweth eto, mas yng Ngwlad Belg a finne'n joio bod yn rhan o'i dîm e wrth gwrs. Ro'n i reit ynghanol digwyddiad a o'dd yn rhan ganolog o galendr pobol Motocross drwy'r byd, ac yn fwy na hynny, yn rhan o dîm pencampwr.

Ro'n i wedi bod 'da fe am ryw dou ddwrnod pan dda'th galwad ffôn 'da'n asiant. Ro'dd rhywun am glywed fi'n canu ar gyfer rhyw ran neu'i gilydd. Ond nid jyst rhywun chwaith. Yr *impressario* dylanwadol Raymond Gubbay o'dd ishe clywed fi. Nawr, os nad y'ch chi'n gyfarwydd â'r enw, 'na gyd weda i yw ei fod ar y bla'n yn y byd hyrwyddo a chynhyrchu cyngherddau clasurol ac operâu dros y byd ers dros hanner can mlynedd. Rhyw fath o Andrew Lloyd Webber y byd opera, ond yn fwy dylanwadol!

Ro'dd deall ei fod e am fy nghlywed i'n canu yn ddeilema go iawn i fi. Ro'n i ar un llaw mas ar gyfnod o wylie ac yn mwynhau'r Motocross gyda Phil. Ro'dd tri Grand Prix arall 'da fe yn Ewrop ar ôl Gwlad Belg a ro'n i fod i fynd iddyn nhw i gyd gyda fe. Nid pawb fydde'n ca'l y fath gyfle a do'dd dim dowt bod y bois gytre yn ddigon cenfigennus o 'ny. Ond ar y llaw arall, ro'dd Gubbay ishe clywed fi'n canu. Ie, Gubbay. Bues i'n pwyso a mesur am sbel fach, yn troi nôl a mla'n rhwng aros yng Ngwlad Belg a mynd at Gubbay. Nôl a mla'n, nôl a mla'n.

Ro'dd Gubbay ishe clywed fi ymhen dou ddwrnod i ga'l yr alwad gan fy asiant. Fe ddes i o fewn trwch blewyn i weud 'Sori, na, dw i ar fy ngwylie, ma'r profiad Grand Prix 'ma yn rhy arbennig i'w wrthod.' Ond ar y llaw arall, ro'dd rhyw lais bach mewn tu fiwn yn rhyw awgrymu mai nid aros ar fy ngwylie a mwynhau'r Grand Prix o'dd y peth gore i fi neud. Nid

lot o bobol sy'n ca'l cais i fynd o fla'n Gubbay, medde'r
llais arall, a falle taw'r peth gore i fi neud o'dd gadel y
gwylie'n gynnar, gadel y Motocross, a mynd i Lunden.
A dyna 'nes i benderfynu neud yn y diwedd, er bo fi'n
twmlo'n itha blin i fi orfod neud y fath benderfyniad.
Ond falle i'r pen ennill yn erbyn y galon.

Er gwaetha fy anfodlonrwydd, 'ma fi'n hedfan nôl
i Lunden a chanu i Gubbay. Ma Gubbay yn enwog
am neud cynyrchiade mowr, y rhan fwya ohonyn nhw
yn yr Albert Hall. Ro'dd cynhyrchiad *Madam Butterfly*
ar waith 'da fe yn y neuadd arbennig 'na, ac ro'dd e
am fy nghlywed i er mwyn fy styried ar gyfer rhan
Goro, y *matchmaker* yn yr opera. (Ga i weud taw 'na'r
gair parchus i ddisgrifio'r cymeriad. Pimp yw e mewn
gwirionedd. Fe sy'n ca'l merched Geisha a'u rhoi i'r
GIs Americanaidd, ac yn derbyn lot o arian am wneud
hynny!)

Fe ges i'r rhan. Diolch byth i fi benderfynu hedfan
nôl o Wlad Belg. Wedi'r rhediad cynta yna, da'th yr
un cynhyrchiad nôl i'r Albert Hall bedair gwaith a
chafodd ei ddisgrifio fel un o'r cynyrchiade gore yn
Llunden erio'd. Ma pobol yn dal i siarad hyd heddi am
y cynhyrchiad 'na o *Madam Butterfly*. Ro'dd e'n un o'r
rheini sy'n digwydd unweth yn y pedwar gwynt.

Ro'dd y cyfan yn ca'l ei neud yn y Bullring, sef llawr
yr Albert Hall, nid y llwyfan arferol. Ma hynny'n golygu
wrth gwrs ein bod ni'r perfformwyr mewn cylch, a'r
gynulleidfa o'n cwmpas ni ar bob ochor.

Ro'dd dehongliad artistig y cynhyrchiad yma yn
wefreiddiol. Falle bo ni yn yr Albert Hall barchus,

draddodiadol. Ond do'dd dim byd traddodiadol ynglŷn
â'r cynhyrchiad arbennig 'ma. O na! Ro'dd llawr y
neuadd wedi ca'l ei foddi dan ddŵr a'r llwyfan a'r set
yng nghanol y llyn newydd. Dyna lle ro'dd yr ardd a'r
tŷ Siapaneaidd sy'n ganolbwynt i'r stori.

O gwmpas y llwyfan, ro'dd llwybre o'r ochre a o'dd
yn ymestyn dros y dŵr. Ac o dan y llwybre, ro'dd
peirianne'n creu cryche amrywiol, cyfnewidiol yn y
dŵr a o'dd wedyn yn symud trwy'r amser fel tase'r
gwynt yn eu hwthu. Ar ben y cyfan, ro'dd y gole yn
chware'i ran wrth gwrs, yn goleuo'r set ond hefyd yn
chware 'da'r dŵr wrth iddo symud. Rodd e'n anhygoel
o drawiadol ac yn bert a chreadigol tu hwnt. Nethon
ni dros ugen o sioeau yn y rhediad cynta 'na, pob un
wedi gwerthu mas a phum mil o bobol ym mhob sioe.
Ro'n ni'n neud dwy sioe bob dydd Sadwrn a dwy sioe
ar y dydd Sul, a hynny ar ben y sioeau yn ystod yr
wythnos.

Ma hwnna'n un o'r profiade proffesiynol gore i fi ei
ga'l erio'd. Nid dim ond achos y ffordd ro'dd yr opera
wedi ca'l ei llwyfannu a'r effaith artistig o'dd wedi
cael ei chreu, ond o ran techneg canu opera i fi fel
perfformiwr hefyd. Tra ein bod ni'n ca'l ein hyfforddi,
o'n ni'n ca'l ein dysgu i ganu mewn ffordd benodol.
'Face out!' o'dd hi, sef taflu'r llais dros y gerddorfa o'n
bla'n ni ac o dano ni. Dyna'r ddisgybleth.

Ond yn yr Albert Hall, ro'n ni mewn cylch. Nid
proscenium arch o'dd hwn, o na! Ro'dd hyn yn hollol
wahanol! Lle bynnag o'n i'n troi, ro'dd rhywun yn
edrych arna i. Fi'n cofio i gynhyrchydd y sioe, David

Freeman, weud wrthon ni gyd cyn dachre, 'Listen, you'll have two thousand five hundred people seeing your face. But you better find ways of making your back and backsides interesting too because there'll be another two and a half thousand people looking at both of them!' Ro'dd gofyn dod o hyd i ffordd i dynnu pawb mewn o bob cyfeiriad. Ac ro'dd honna'n gelfyddyd ynddi ei hunan. Ar ben hynny, ro'dd y gerddorfa y tu ôl i ni, ar yr ochor lle ma'r organ yn y neuadd. Er mwyn ca'l gweld arweinydd y gerddorfa, ro'dd monitors wedi ca'l eu gosod fan hyn a fan draw. Dyna ddisgybleth newydd arall eto fyth.

Ro'dd cynulleidfa yr Albert Hall nid yn unig o'n cwmpas ni, ro'n nhw hefyd yn codi lan yn uchel iawn pob ochor i ni hefyd, lan i'r nenfwd! Siwd o'dd perfformio i'r rhai lan 'da'r duwie yn yr un ffordd â'r rhai o'dd reit o'ch bla'n chi? Ro'dd gofyn gwitho hwnna mas yn ogystal.

Geson ni gyngor David Freeman unweth eto. Yn reddfol, y temtasiwn i ni berfformwyr yw i neud ein symudiade, ein stumie a'n cleme dipyn yn fwy nag y bydden nhw ar unrhyw lwyfan arall, llwyfanne mwy traddodiadol. Wrth wynebu sefyllfa lwyfan mor eang a gwahanol y demtasiwn fydde i or-bwysleisio pob symudiad, fel bo'r bobol bella bant yn gallu gweld yn iawn, fel pawb arall o'dd yn agosach aton ni. 'I don't want any of that,' medde David yn ddigon clir, 'They have boxing and tennis tournaments here as you know. You don't see the tennis players make exaggerated movements for every shot they make, or the boxers exaggerating their arm movements for every punch. I don't want to see you exaggerate your acting either. I want it to be real.' Gwers werthfawr arall.

Ma gofyn actio mewn opera hefyd, wrth gwrs, nid jyst canu. Ambell waith ma hwnna'n gallu cynnig her ymarferol hefyd. 'Na beth ges i yn *Madam Butterfly*. O'dd gan y tŷ Siapaneaidd, sy'n ganolog i'r stori, lot o ddrysau o'dd yn sleido ar agor a bleinds ar y ffenestri o'dd yn agor a chau. Ro'dd gofyn i fi agor y bleinds ym mhob perfformiad a neud yn siŵr bo nhw'n ca'l eu codi'n ddigon uchel i bawb allu gweld mewn i'r tŷ. Her arall!

Ro'dd yr holl beth yn Siapaneaidd, yn ôl natur y stori. Bues i'n astudio siwd o'dd cerdded yn iawn, siwd o'dd symud fy mreichie, pa stumie i'w gneud, a thrio neud y cwbwl yn gredadwy heb droi fy mherfformiad yn stereoteip neu'n ddynwarediad o bobol Siapan. Lwcus i fi ga'l digon o gysylltiad 'da'r wlad o'r bla'n! Dwi wedi cadw perthynas ddigon agos gyda Siapan ar hyd y blynydde, a braf o beth yw hynny!

Ro'n i'n ca'l gwersi actio pan o'n i yn yr Academi wrth gwrs. Wel, o'n i i fod i ga'l gwersi actio! Es i ddim iddyn nhw bron o gwbwl ar ôl y profiad ges i yn y sesiwn ddrama gynta. Ro'dd y fenyw o'dd yn ein dysgu ni yn real athrawes ddrama, yn llawn cleme ac o'dd rhyw agwedd perfformio i bopeth ro'dd hi'n neud a gweud. Yn y wers 'ma, wedodd hi wrth y dosbarth ei bod hi am i ni gyd i actio fel ein hoff anifail. Sda fi gynnig i ymarferion drama fel'na! Beth bynnag, penderfynes i y bydden i'n actio fel y ci o'dd 'da fi ar y pryd, sef Bruno. Lawr â fi ar fy mhedwar, mynd rownd y stafell yn sniffo pobol a chodi co's fan hyn a fan draw, a mas â fi o'r stafell wedyn. Es i mas o'r adeilad – nid ar fy mhedwar! – ac i'r dafarn agosa. Ces i gwpwl o beints fan'na, mynd nôl lan i'r stafell ddrama ar ôl cwpwl o orie, rhedeg rownd unweth 'to ar fy mhedwar a bwrw bant nôl mas eto. Es i i stafell lawr y coridor a chysgu fan'na am sbel.

Lwyddes i i ddihuno mewn pryd i fynd nôl erbyn diwedd y wers. 'Ma'r fenyw yn gofyn i ni gyd wedyn pa anifail ro'n ni wedi ei ddewis a pham. Pan wedes i wrthi mai fy nghi Bruno ro'n i wedi dynwared, a'i fod e wastad yn rhedeg rownd, yn sniffo pobol a wedyn yn diflannu am sbel cyn dod nôl 'to, ro'n i'n dishgwl sylwade digon angharedig. Ond mowredd, nid fel'na o'dd hi. Ro'dd hi'n meddwl bod hynny'n syniad arbennig. 'Genius!' medde hi wrtha i! 'Brilliant!' Wel, am nonsens! 'Nes i ddim cymryd y wers o ddifri o gwbwl, ddim o bell ffordd, a 'ma fi'n troi mas i fod yn 'genius'! Es i ddim i wersi drama ar ôl hynny. Well 'da fi droi at gymeriade Pencader i ddysgu siwd ma cymeriadu. Neu yn achos *Madam Butterfly*, at ffrindie o'r wlad lle ma'r opera wedi ei lleoli!

Ro'dd y cynhyrchiad o'r opera draddodiadol 'ma hefyd yn un modern. Ac er ei fod yn Siapaneaidd iawn, ro'dd elfen o fywyd y gorllewin ynddo hefyd. Yn fy rôl fel *matchmaker* – ie, y term parchus! – fi o'dd yn gyfrifol am drefnu'r briodas rhwng Cio-Cio-San a'r Liwtenant Pinkerton. Siapan a'r Unol Daleithie yn dod at ei gilydd! Pan dda'th dwrnod y briodas, ro'n i mewn siwt *tails* posh iawn, gorllewinol yr olwg, a het bowler ar fy mhen. Ro'n i'n edrych yn fwy tebyg i Odd Job yn ffilmie James Bond!

Ond ma'n od, er bod yr holl gynhyrchiad mor fowr, mor drawiadol, mor grand, mewn neuadd mor urddasol â'r Albert Hall, ro'dd neud e fel nethon ni yn twmlo'n brofiad agos atoch chi go iawn. Ro'n ni mor agos at ran sylweddol o'r gynulleidfa ac yn edrych reit mewn i lyged cyment ohonyn nhw. Pan o'n i ar y llwybre dros y dŵr, ro'dd ambell berson bwyti fod wyneb yn wyneb â ni. Ro'dd yn gyfuniad arbennig o deimladwy o sawl profiad gwahanol.

Yn ystod y sioe gynta'n deg, ar y noson agoriadol, ro'n i'n cerdded tuag at y llwyfan reit ar ddachre'r perfformiad. Des i mas trwy gyrtens yn y cefen a lawr ambell stepen cyn anelu at y llwybr i gerdded dros y dŵr. Wrth i fi ddachre neud hynny, ma ffôn boi o'dd yn ishte yn y gynulleidfa reit ar bwys lle ro'n i'n cerdded yn dachre canu. Yn embaras ddigon, 'ma fe'n tynnu'r ffôn mas i'w ddiffodd e. Wrth iddo neud 'na, 'ma fi'n troi ato a gweud o fla'n pawb, 'Hah! Nokia!' yn gwbwl naturiol! Na'th pawb o'n cwmpas ni werthin yn iach a finne'n gorfod cario mla'n yn fy nghymeriad wedyn at y llwyfan! O'r pum mil o bobol o'dd 'na, y ffôn na'th ddigwydd canu o'dd un y boi reit wrth fy ochor i. Anghofia i byth mo fy entrans cynta erio'd i yn yr Albert Hall!

Ar ôl benni'r perfformiade o *Madam Butterfly* yn yr Albert Hall, fe ethon ni â'r cynhyrchiad ar daith i Sheffield a Manceinon, a pherfformio mewn arenas mowr yn y ddou le. A wedi 'ny, da'th rhagor o waith i fi trw Raymond Gubbay. Fe 'nes i operâu *Carmen* a *Tosca* 'da fe. Fe a'th *Carmen* i'r O2 yn Llunden, felly ges i'r profiad o ganu yn yr arena fodern, anhygoel yna hefyd. Rhwng y cynyrchiade 'na i gyd, ces i ryw dri, pedwar mis o waith bob blwyddyn am ryw ddeng mlynedd 'da cwmni Raymond Gubbay.

Da'th *Madam Butterfly*, fel wedes i, nôl i'r Albert Hall bedair gwaith. Da'th *Carmen* a *Tosca* nôl 'na ddwy waith yr un. Rhwng y perfformiade 'na i gyd, ac ambell gyngerdd fan hyn a fan draw, dw i wedi perfformio yn yr Albert Hall tua dou gant o weithie. Dyw hwnna ddim yn beth cyffredin i unrhyw artist allu gweud ond dw i'n browd iawn o allu gweud hynny. Falle dylen nhw newid enw'r lle i Yr Aled Hall!

Beth os fydden i wedi penderfynu aros i deithio trw Ewrop i weld y Grand Prix Motocross 'da Phil? Ma hwnna wedi mynd trw'n feddwl i sawl gwaith ers 'ny, galla i weud wrthoch chi. Mae penderfyniade bach yn gallu ca'l effaith mowr!

Trên a Ferrari

Tua cyfnod rygbi'r Chwe Gwlad ro'dd sioeau Gubbay'n ca'l eu perfformio fel arfer, yn Ionawr, Chwefror a Mawrth. Ro'dd gofyn whilo am waith gweddill y flwyddyn wedyn wrth gwrs. O fewn dim, diolch byth, fe sefydlodd rhyw batrwm digon cyfleus, a finne'n llwyddo i ga'l gwaith gyda chwmnïe gwahanol yn ystod y misoedd eraill.

Cwmni opera cymharol newydd yw Garsington Opera. Fe ddachreuodd yn 1989, yn Garsington Manor ar bwys Rhydychen. Perchnogion y Manor, Leonard a Rosalind Ingrams, ddachreuodd y digwyddiade opera yn eu cartre, gan greu Gŵyl Haf. Ro'dd hwnnw'n lle hyfryd i berfformio. Pan fuodd Leonard farw, symudodd y digwyddiad wedyn i Stad Wormsley ym mryniau'r Chilterns. Ma'n nhw'n cynnal operâu mewn hen dŷ hanesyddol, crand. Ma fe'n lle hyfryd i berfformio. Ma'n nhw'n llwyfannu rhyw bedair opera bob blwyddyn, dros fisoedd yr haf fel arfer, ac ma wastad un opera gan Mozart 'da nhw. Ond ma'n nhw hefyd yn llwyfannu lot o operâu llai adnabyddus.

Ma cynyrchiade Garsington yn ddigwyddiade

arbennig ac yn achlysur mowr yn y calender byd opera. Ro'dd y perfformiade'n dachre am 6 o'r gloch. Ro'dd wastad egwyl – a hwnnw'n para rhyw awr a hanner! 'Na pryd bydde pawb yn mwynhau'r picnic ro'n nhw wedi dod gyda nhw. A sai'n sôn am frechdane a botel o Coke o'r Co-op. O na, ro'dd y rhan fwya yn dod â gwledd yn eu basgedi crand. Ro'dd rhai hyd yn o'd yn dod â'u bytlers o gytre, a'r rheini wedyn yn neud y gwasaneth *silver service* llawn yn ystod y picnic!

Ro'dd yr egwyl yn grêt i fi am mai 'na pryd o'n i'n mynd draw i'r maes parcio er mwyn gweld y ceir drud i gyd. 'Na le'r o'dd y Ferraris, y Lamborghinis, y Rolls-Royces ac ati. Fel un sy'n dwli ar geir, ro'n i wastad yn edrych mla'n at yr egwyl yn Garsington!

Ro'dd yr Ingrams ddachreuodd y cynyrchiade yn rhieni bedydd i Boris Johnson a da'th e i weld sawl perfformiad ro'n i'n cymryd rhan ynddyn nhw yn Garsington Manor. 'Nes i gwrdda fe cwpwl o weithie ar ôl y perfformiade. Cwrddes i â Terry Wogan yno hefyd. Mewn un cynhyrchiad o *Falstaff*, ro'dd ffrind i fi'n ware'r brif ran ac yn gwisgo gwisg â label ag enw 'Timothy West' wedi'i sgrifennu arno fe. Ro'dd yr actor clasurol newydd wisgo'r un wisg mewn cynhyrchiad o un o weithie Shakespeare. Ro'dd Timothy West yn dod i Garsington hefyd. Ac un arall 'nes i gwrdda yno o'dd Dug Caint. Ro'dd e'n itha lle i'r boneddigion! Pan ro'n i'n perfformio yn Garsington, ro'n i'n aros 'da Phil Mercer, y boi Motocross. Ac i fan'na nes i fynd â Phil a'i fam i weld opera.

Yn ogystal â *Falstaff*, 'nes i *The Marriage of Figaro* 'da nhw a sawl opera adnabyddus arall. Ond fel wedes i, ro'n nhw'n llwyfannu operâu lot llai adnabyddus hefyd. Er enghraifft, berfformies i *Le Pescatrici, Y Bysgotwraig*, gan Haydn 'na. Cafodd yr opera 'na ei pherfformio gyntaf yn 1770 a dyw hi ddim yn ca'l ei pherfformio'n amal y dyddie 'ma, a ma rheswm am hynny, credwch chi fi! Ond ma'n grêt ca'l cyfle i neud gweithie sydd ddim mor gyfarwydd.

Dros yr haf hefyd ma cwmni Opera Holland Park yn gwitho. Perfformiade awyr agored yw'r rhain, mewn parc prydferth reit yng nghanol Llunden. O'n i gyda nhw am ryw bymtheg mlynedd i gyd, siŵr o fod, ac yn amal yn neud dou gynhyrchiad mewn un tymor. 'Nes i glyweliad i'r ddou sy'n rhedeg yr ŵyl, Mike Volpe a James Clutton. Des i'n ffrindie da 'da'r ddou ohonyn nhw wedyn a wedon nhw wrtha i bo fi wedi ca'l y gwaith cyn i fi ganu nodyn yn y cyfweliad 'nes i iddyn nhw! Wedi holi pam, wedon nhw bo nhw'n lico'r ffordd ro'n i wedi cerdded mewn i'r stafell, yn ddigon hyderus ac yna cyfarch y ddou yn ddigon cyfeillgar. Ar gefen 'ny ges i bymtheg mlynedd o waith. Ma'r clyweliad yn dachre'r funud chi'n agor y drws i fynd mewn i'r stafell!

'Nes i gyment o operâu yn Holland Park ma'n anodd cofio nhw gyd. *The Queen of Spades, Rigoletto, La Traviata, la Gioconda, The Love of Three Kings* ac yn y bla'n! Fel ma stori cwato geirie *recit* Simon yn yr Academi yn dangos, ma'n rhaid gweud bo fi'n hoff iawn o dynnu co's a ware tricie ar fy nghydberfformwyr. Ma pawb yn gwbod hynny erbyn hyn, wrth gwrs, gan bo fi wrthi ers blynydde. Triwch beidio gwitho 'da Aled Hall yw cyngor rhai sy wedi gwitho 'da fi lot, neu, os ydych chi yn gwitho 'da fe, pidwch byth ag edrych i fyw ei lyged e! Ond, wrth gwrs, ma hyn oll yn gadel chi'n gwbwl agored i bobol drio'ch ca'l chi nôl. A digwyddodd hynny yn Holland Park.

Ro'n i'n neud *The Marriage of Figaro* un haf ac yn yr un cynyrchiad, ro'dd ffrind i fi yn cymryd rhan hefyd. Ma Carole Wilson dipyn yn hŷn na fi, mezzo-soprano o'r hen deip ac yn dipyn o gymeriad. Ma hi wastad yn barod am gwd laff! Fi wedi ware tricie arni hi sawl gwaith mewn cynyrchiade gwahanol a ro'dd hi wastad yn gweud, 'I'll get you one day, Hall!' A finne wastad yn gweud wrthi, 'Good luck, love, a lot have tried, but very few succeed.'

Ma un olygfa yn *The Marriage of Figaro* lle ni gyd yn mynd nôl ar y llwyfan trwy ffenest. Ro'dd un cymeriad yn mynd gynta, wedyn hi a wedyn fi. Bob nos, pan o'n i tu cefn llwyfan, ond ar fin mynd trw'r ffenest, bydden i'n hwpo'n law lan ei sgyrt hi a rhoi pwsh mla'n iddi ar ei phen ôl drw'r ffenest. Cyrhaeddon ni'r noson ola, a 'ma fi'n neud yr un peth eto. Rhoies i'n llaw lan ei sgyrt hi i roi hwp bach egstra iddi drw'r ffenest – ond do'dd hi ddim yn gwisgo nicers! Ces i sioc! Ro'n i'n camu i'r llwyfan eiliade ar ôl hynny, yn trio neud fy ngore i bido wherthin ar beth o'dd hi wedi neud a hithe'n edrych arna i, mewn cymeriad, a golwg ''na ddala ti mas, gwd boi' yn ei llyged! Dan ei hanal wedyn, pan ro'dd hi ar bwys fi ar y llwyfan, wedodd hi wrtha i, 'I got you, you little shit!'

Anghofia i byth o hwnna! Ces i ddwrnod arall 'na'i byth anghofio yn ystod un haf yn Holland Park, ond am y rhesyme anghywir! Jwmpes i ar y trên yng Nghaerfyrddin un dydd, yn barod i berfformio yn Llunden y noson hynny. Pan na'th y trên gyrraedd Casnewydd, fe dda'th i stop annisgwyl. Ro'dd cwpwl o dai wrth ochor y trac wedi mynd ar dân a ro'dd yn rhaid cau'r lein yn llwyr. Ro'dd hwn tua un o'r gloch y prynhawn. Ro'dd llond trên wedyn yn gorfod trio ffindo'u ffordd i Lunden. Ro'n i wedi bod yn siarad lot ar y tren 'da grŵp o ddynon o'dd yn fancwyr. Wedi i ni ddod i stop, cynigodd y dynon 'ma i fi fynd mewn tacsi 'da nhw i orsaf Bryste. A 'na beth 'nes i. Ond wedi cyrraedd Bryste, ro'dd effeth y broblem yn Casnewydd wedi gadae'l ei marc. Ro'dd un trên yn llai yn gadel Bryste wedyn, wrth gwrs, a hynny'n creu ciw aruthrol ac oedi yn amser gadel sawl trên. Ro'n i ym Mryste am sbel! Ges i drên yn y diwedd ond 'nes i ddim cyrraedd Llunden tan hanner awr wedi saith y noson hynny, sef yr amser ro'dd y sioe yn dachre. Ro'dd yn rhaid i rywun arall gamu mewn i fy rhan i wedyn, un o'dd yn y corws.

Pan ro'n i'n cadw mewn cysylltiad 'da James Clutton er mwyn gweud wrtho fe beth o'dd y sefyllfa, wedodd e wrtha i am drio cyrraedd cyn gynted ag y gallen i ac os bydden i 'na erbyn yr ail hanner, bydden i'n perfformio. A 'na beth ddigwyddodd. Fe 'nes i fynd ar y llwyfan i wneud ail hanner *La Traviata*, yn chware cymeriad Gaston. Ma fe'n dipyn o gymeriad, yn foi sy'n dwli ar bartis a cha'l amser da. Yn yr ail hanner, ma grŵp o fois yn canu cân y Matador, yn whipo'r crowd lan cyn parti'r prif gymeriade. 'Na le o'n i yn fy DJ yn arwen y bois 'ma yn y canu. Peth nesa, ma'n drwser i'n rhwygo o dop un o fy nghoese i reit lawr i'n dra'd i! Lwcus bo fi'n gwisgo pans y nosweth 'ny, gadwch i fi weud wrthoch chi! Ond, 'na beth o'dd dwrnod a hanner. Dysgodd e un wers bwysig i fi, sef i bido trafaelu ar ddwrnod perfformiad, a sai wedi neud hynny ers y dwrnod hwnnw.

Yn yr haf hefyd da'th y cyfle i ddod yn rhan o gwmni Opera Wexford. Ro'n i'n dwli perfformio gyda nhw a bod mas yn Iwerddon. Heblaw am yr opera, ro'dd yn lle grêt i fod i rywun o'dd yn lico Guinness yn y dyddie 'ny! 'Nes i ddwy flynedd o'r bron 'na, ac aros yn Wexford am ryw ddou fis bob tro. Dw i'n dwli ar y Gwyddelod. Mae eu hagwedd at fywyd a'u ffordd o fyw yn un dwi'n twymo ato fe'n fowr. Dwi wastad yn twmlo'n gartrefol pan fi gyda nhw. Ma'u hiwmor nhw yn sbesial hefyd! Fi'n cofio gofyn i un boi mas 'na, 'How would you go to Dublin?' Trodd i edrych arna i'n slow fach ac yn ei amser ei hunan atebodd e, 'My mother takes me.' Ar ôl i fi gwpla gwenu, gofynnes i'r un cwestiwn mewn ffordd wahanol, 'What's the quickest way to get to Dublin?' 'Depends,' medde fe, 'depends which way you're going. By car, by train or walking.' 'Ma fi'n gwenu 'to ond yn ateb yn weddol gloi, 'I'll be going by train.' 'Yes,' medde fe, 'that's the quickest way.' A bant â fe nôl i'w fyd ei hunan!

Ro'dd cwmni Wexford hefyd yn neud lot o operâu llai adnabyddus. 'Nes i *Saffo* gan Pacini 'na unweth, opera am fenyw o'dd yn fardd yng Ngwlad Groeg yn y dyddie cyn Crist. 'Nes i *L'Étoile du Nord* hefyd, seren y gogledd, sydd yn opera gomedi gan Giacomo Meyerbeer.

Yn ystod un perfformiad o waith Meyerbeer, ro'n i'n canu aria fach ddigon tawel. Wrth bo fi'n canu, 'ma fi'n sylwi ar sŵn yn dod o'r galeri a phobol yn codi a rhyw gomosiwn yn digwydd. Do'dd dim syniad 'da fi beth o'dd yn mynd mla'n a do'dd neb wedi gweud wrtha i am roi stop arni. Felly, mla'n â fi i ganu a mla'n â'r opera tan y diwedd. 'Ma fi'n gofyn wedyn, tu ôl i'r llwyfan, beth o'dd y comosiwn 'na i gyd. Wel, medden nhw, tra ro't ti'n canu gath rhywun *heart attack* a marw. Wel, do'n i ddim yn dishgwl hwnna! Do'n i ddim yn meddwl bo fi'n canu mor wael â 'na!

Yn yr un cynhyrchiad, ond ar noson wahanol, da'th rhyw Americanwr mowr tu cefen i'r llwyfan ar y diwedd a gweud bod e'n awyddus iawn i gwrdda fi. Ma fi'n cwrdda fe, a wedodd e, 'I really had to meet you because you remind me so much of a good friend of mine who's no longer with us.' 'Oh,' medde fi, 'who's that then?' Wel, neb llai na Mario Lanza! 'Nes i weud wrth y boi 'ma wedyn – ar ôl diolch iddo fe am y fath sylw! – i fi ga'l fy magu yn sŵn canu Mario Lanza. Ro'dd sawl un o'i recordie fe yn y tŷ a Dad yn gwrando arnyn nhw drw'r amser, fel ro'dd Wncwl John hefyd. Ro'dd y ddou yn dwli arno fe a ro'dd e, heb os, yn ddylanwad mowr arna i. Ro'dd cwrdda ffrind personol iddo fe yn anghredadwy. A'th y boi â fi mas am bryd o fwyd wedyn lle na'th e weud sawl gwaith 'to bo fi'n ei atgoffa cyment o Mario Lanza. Ro'dd hwnna'n sbesial!

Un o'r llefydd sa i wedi sôn amdanyn nhw hyd yn hyn yw Covent Garden. Ac o'r diwedd, yn 2016 da'th y cyfle i fi berfformio 'na! 'Nes i fy *debut* yn y Royal Opera House enwog yn *Manon Lescaut*, opera pedair act gan Puccini. Fi o'dd Meistr y Ddawns. Ro'dd yn rhaid i Dad a Mam ddod i'r noson agoriadol wrth gwrs. 'Nes i drefnu lle neis iddyn nhw aros, yn ardal Waterloo, er mwyn iddyn nhw ga'l mwynhau y profiad cyment â phosib.

Ar y dwrnod ro'n nhw'n cyrraedd, wedes i wrthon nhw i ishte'n dawel fach yn y cyntedd ac fe es i i'r dderbynfa. Wedes i wrth y ferch ifanc tu ôl i'r ddesg bod Dad a Mam yn dathlu pen-blwydd priodas arbennig a gofynes iddi hi a fydde modd ca'l *upgrade* i stafell neisach. Ro'n i wedi gweud wrth fy rhieni beth o'dd 'da fi mewn golwg, felly pan a'th y ferch draw atyn nhw, ro'n nhw'n gallu ware lan 'da'r cwbwl. 'We haven't got another room unfortunately,' medde hi, 'but I don't know if you'd be interested, the penthouse suite is available.' Nawr chi'n siarad, medde fi i fi'n hunan! Ond wedes i wrth hi, 'Do you think we could have a look at it to see if it's OK?' A lan â ni i'r llawr ucha'n deg, lle ro'dd y *suite* yn llenwi'r llawr i gyd ac yn cynnig golygfa 360 gradd rownd Llunden! 'Yes, OK,' medde fi, 'I think we'll take it.'

Do'dd dim unrhyw gost ychwanegol i ni o gwbwl.

Ro'dd Mam a Dad wrth eu bodd. A gweud y gwir, ro'n nhw'n joio cyment yn y *penthouse* moethus 'ma, ro'dd e'n dipyn o job i ga'l nhw i ddod mas i'r opera! Fe nethon nhw gyrraedd Covent Garden jyst mewn pryd, diolch byth, a mwynhau'r profiad yno'n fawr iawn – cyn mynd nôl i'w *penthouse*! Ro'dd trip arbennig er mwyn gweld fi yn fy *debut* yn Covent Garden wedi troi tamed bach yn fwy sbesial! Gofynnwch ac fe roddir i chi!

Ers 2016 dw i wedi gwitho yn Covent Garden bob blwyddyn, bron. Ma'n un o'r llefydd gore yn y byd i witho a ni'n gwitho 'da'r cerddorion gore, y technegwyr gore, yr hyfforddwyr gore a fi hefyd yn ca'l canu gyda chantorion gore'r byd. Gwefr i fi o'dd ca'l rhannu llwyfan gyda chanwr fuodd yn arwr i fi ers dyddie coleg, y Ffrancwr Eidalaidd Roberto Alagna. Ma'n un o denoriaid gore'r byd, heb os. Ro'dd e'n foment falch iawn i fi i weld fy enw i ar yr un poster â'i enw e.

Un arall ro'dd yn fraint rhannu llwyfan 'da fe o'dd Joseph Calleja o Malta. Ma fe hefyd yn un o denoried gore'r byd. Ni wedi dod yn ffrindie mowr dros y blynydde. O'dd e wastad yn fy ngwahodd i i fi fynd mas i Malta i aros. Pleser un flwyddyn o'dd gallu neud hynny. A'th fy merch Elen a fi mas 'na, i'w dŷ anferth yn Valletta sy'n edrych mas dros y môr, a cha'l gwylie hyfryd.

Bydd mwy am Covent Garden nes mla'n.

Hedfan a jyglo

FELLY 'NA SIWD o'dd misoedd y gwanwyn a'r haf yn llenwi'n ddigon teidi ar ôl cynyrchiade Gubbay. Wedyn, wrth i'r hydref gyrraedd, bydden i'n gallu troi at gwmnïe fel Cwmni Opera Cenedlaethol Cymru neu Gwmni Opera Cenedlaethol Lloegr. Dyna pryd bydde'u teithie nhw'n digwydd fel arfer, dros y misoedd lan at y Nadolig.

Ac wrth i'r Nadolig agosáu, wrth gwrs, ro'dd cyngherdde'n digwydd a thrwy'r cwbwl lot, bydde ceisiade'n dod am waith teledu fan hyn a fan 'co. Ond camgymeriad fydde meddwl bod pethe'n gwitho mas yn ddigon teidi ac un peth yn dachre pan y bydde rhwbeth arall yn benni. Dim siawns. Ma gwaith trefnu gofalus ar sorto patrwm gwaith fel'na mas. A ma 'na gyfnode'n digwydd pan do's dim byd 'da fi a wedyn ma pawb moyn fi 'run pryd. Mewn dryswch fel'na, ma asiant da yn dod i'r amlwg!

Marc asiant da yw ei fod e neu hi'n lico jyglo dyddiade i ga'l pethe i witho. Asianteth Rheoli Christopher Carroll yng Nghaerdydd sy'n edrych ar fy ôl i nawr. Ma fe'n canolbwyntio ar gantorion yn unig,

98

a ma fe wedi magu arbenigedd yn y byd opera ers blynydde. Ma fe'n foi arbennig am sorto pethe mas pan ma'r sefyllfa'n codi bo fi'n ca'l cais i neud rhwbeth a finne heb orffen neud rhwbeth arall. Mewn sefyllfa fel'na ma fe'n awgrymu i fi gynnig un neu ddwy sioe yn y cynhyrchiad newydd i rywun arall er mwyn i fi ga'l benni'r cynhyrchiad fi'n neud yn barod, a wedyn dachre'r un newydd rhyw un neu ddwy sioe mewn i'r cynhyrchiad. Ma hwnna'n gwitho'n dda achos bydde fe'n drueni mowr i fi wrthod rhediad o ryw wyth i ddeg sioe er mwyn benni neud un sioe mewn cynhyrchiad arall. Fel arfer, canwr ifanc â llai o brofiad na fi sy'n ca'l cynnig yr un neu ddwy sioe 'na, felly ma'r fath drefn yn gyfle i gynnig profiad ychwanegol i rywun arall, sydd yn amal ar ddachre eu gyrfa.

Dyw e ddim wastad yn rhwydd i drefnu hyn, gan fod rhai cwmnïe'n gallu bod yn ddigon ffysi, neu'n lletchwith falle! Ma'n nhw'n lico bo chi 'da nhw am y gyfres i gyd a rhai yn lico bo chi'n ecsgliwsif iddyn nhw a ddim yn mynd at unrhyw un arall. Ma'n gallu digwydd bod rhyw gwmni sy'n meddwl fel'na yn gwrthod rhoi dwrnod bant i chi fynd i neud cyngerdd arall am bo nhw ishe chi ar gyfer rhyw sesiwn ymarfer neu'i gilydd. Wedyn, ar ôl gwrthod y gwaith arall, ma'n nhw'n canslo eich sesiwn ymarfer! Ma hwnna'n ddi-ened! Ma ishe lot o amynedd a gras ambell waith!

A wir, sdim ishe bod fel'na a gweud y gwir. Ni gyd yn yr un busnes i neud bywolieth a ma ffordd i ni gyd neud 'ny wrth gyd-witho. Ma fe'n help mowr pan ma cwmnïe sy'n dueddol o feddwl fel'na yn dod i fan lle ma'n nhw'n trysto asiant. Ma'n nhw'n lot fwy parod i dderbyn ei air e wedyn pan ma fe'n gweud y bydd y canwr dan sylw yn dod nôl os yw e'n gweud y bydd yn dod nôl wedi colli dachre rhediad. Diolch i fy asiant, dw i wedi llwyddo i ddod i ben â'i yn weddol 'da'r jyglo dros y blynydde! Dim ond troi lan sda fi neud a chanu. A fel'na dyle hi fod. Sdim diben iddo fe ffono fi a gweud bod problem wedi codi, ei brobem e yw hi, a fi'n talu fe i sorto probleme mas!

Na'th Gŵyl Haf arall godi problem benodol iddo fe. Ma Longborough Festival Opera yn cynnal operâu dros yr haf. Ma'n nhwthe yn y Cotswolds hefyd, fel Garsington. Ces i wahoddiad i berfformio yn un o'u cynyrchiade nhw o *La Traviata*. Ces i alwad ffôn nos Iau oddi wrth Chris, fy asiant, yn dweud, 'Pack your bags, you're going to Sweden!' Fel'na! Dim ware! 'Someone's dropped out of *Der Rosenkavalier* and I've told them you'll be on the plane Saturday to go straight into rehearsals.' Ro'dd e'n gwbod bo fi'n gyfarwydd â'r gwaith ac yn gwbod y geirie a'r gerddorieth. Na'th y bobol yn Sweden hala fideo i fi ga'l gweld y cynhyrchiad gytre ar y dydd Gwener a ro'n i yn Sweden dydd Sadwrn. Ro'dd whech dwrnod 'da fi i ga'l popeth yn iawn cyn y noson agoriadol.

Ond, sai wedi anghofio i fi ddachre sôn am Longborough. Ro'n i wedi mynd mor bell ag arwyddo cytundeb i fod yn rhan o'u gŵyl nhw ac ar ôl neud hynny ges i gynnig y gwaith yn Sweden. Un ateb o'dd. Ro'dd rhaid neud y ddou. Do'dd dim modd cynnig rhan i rywun arall yn un o'r ddou gynhyrchiad yn y ffordd 'nes i esbonio gynne. Dim ond un ffordd o'dd yn bosib i neud i'r ddwy opera witho ac i fi gadw at fy ymrwymiad.

Ro'dd gofyn i fi hedfan o Stockholm i Lunden er mwyn gallu cymryd rhan yn ymarferion Longborough, o'dd yn dachre am hanner awr wedi deg y bore. Ymarfer trw'r dydd wedyn tan hanner awr wedi pump. Nôl i Heathrow, hedfan i Sweden yn barod ar gyfer y sioe nesa iddyn nhw. A wedyn nôl 'to i Longborough ac yn y bla'n. 'Nes i ryw ddeuddeg taith i gyd nôl a mla'n rhwng Stockholm a Llunden mewn amser byr iawn. Ro'dd hwnna'n gyfnod gwallgo! Falle bod hwnna'n eithriad i'r rheol o beidio â theithio ar ddwrnod perfformio, os nad yn eithriad eithafol dros ben!

Diolch byth bod canwr o Sweden, John Daszak, yn ffrind i fi a ro'dd modd ymlacio rhywfaint diolch i'w garedigrwydd e. Ro'n ni wedi bod yng nghynhyrchiad Gubbay o *Carmen* 'da John a wedi bod yng nghynhyrchiad Gubbay o *Tosca* gyda'i wraig e, Jackie. Y ddou gynhyrchiad yn yr Albert Hall. Ro'dd y ddou yn byw ar ynys fach tu fas i Stockholm. Wedi iddyn nhw ddeall bo fi yn Sweden, dywedodd John wrtha i i roi gwbod iddo fe pryd bynnag bydde dwrnod bant 'da fi, ac fe ddele fe i ôl fi. Pan dda'th y dydd, fe dda'th e i ôl fi – mewn *speedboat*! Bant â ni dros y dŵr wedyn i'w cartre nhw ar yr ynys a 'nes i aros 'da nhw am gwpwl o ddyddie. Ethon nhw nôl â fi i Stockholm wedyn ac aros i weld fi'n perfformio yn *Der Rosenkavalier*.

Ma neud y trefniade sy'n sicrhau bo fi'n gallu bod

mewn sioe yn gallu bod yn itha her, fel chi newydd ddeall. Ond ma sefyllfa benodol i'w hwynebu ar ddiwedd rhediad o sioeau hefyd. Ffactor real iawn i ddelio â hi yn feddyliol yw'r ffaith bod y sioe wedi dod i ben. Falle bod dim gwaith arall yn aros amdanoch chi. Do's dim byd i edrych mla'n ato fe wedyn, dim ond gwacter. Ac os o's gwaith arall yn aros amdanoch chi, ma'n dal yn anodd i symud mla'n yn feddyliol o'r sioe flaenorol a dachre meddwl am un arall. Ma fe'n wacter gwahanol.

Ry'ch chi'n llythrennol wedi byw un cymeriad penodol am gyfnod hir, wedi byw yng nghro'n rhywun a chyflwyno'r person 'na i'r cyhoedd. Nid rhwbeth arwynebol yw cymeriadu. Os y'ch chi wedi neud rhediad o ryw bymtheg sioe neu bump sioe ar hugain, neu beth bynnag, ma codi'r bore ar ôl y sioe ola yn gallu bod yn itha fflat siot ar y gore. Yn amal, ma'n gallu troi'n broblem fwy na hynny i lot o berfformwyr.

Chi wedi bod fel tîm am fisoedd; yn gweld eich gilydd o fore gwyn tan nos, yn byta 'da'ch gilydd, ymarfer 'da'ch gilydd, rhannu stafell wisgo gyda sawl un, perfformio ar lwyfan o fla'n cynulleidfa, mas am gwpwl o beints ar ôl y sioe, mynd am dro, mynd i'r siope, mynd i weld rhyw atyniad yn eich amser sbâr. Ry'ch chi wir yn tyfu i fod yn deulu bach agos yn itha cloi. A wedyn pan ma hynna'n diflannu'n ddim, ma fe'n gadel itha gwacter.

Ma 'da pawb ei ffordd o lenwi'r gwacter 'na. Pawb â'i ffordd o addasu nôl i fywyd bydde pobol eraill yn ei alw'n fwy normal. A 'na le 'yf fi'n falch bo fi'n gallu anelu am Sir Gâr. Ma'n gallu bod yn boendod i feddwl bod yn rhaid trafaelu mor bell i Orllewin Cymru os ydw i yng Ngogledd Lloegr neu'r Alban er enghraifft. Ond dyw'r teimlad 'na ddim yn para'n hir. Gorffwys wedyn ar ôl cyrraedd gytre a dachre mwynhau bywyd mor wahanol i fyd opera. Chi wedi sylwi erbyn hyn ma'n siŵr bod y term 'hollol wahanol' yn ware rhan amlwg yn fy ffordd o edrych ar fywyd. Ma'n rhan ganolog o ddod nôl lawr i'r ddaear ac yn ôl i batrwm bywyd bob dydd ar ôl rhediad o berfformiade ac i switsho bant. Y cloc gytre yw'r un sy'n cadw'r amser gore.

Y tri o'n ni

'NES I SÔN mai o gyfforddusrwydd y gader freichie y bydda i'n joio gêm o rygbi'r dyddie 'ma, ac wrth ga'l ambell daith i Barc y Scarlets falle. Wel, da'th y canu a'r rygbi at ei gilydd un flwyddyn a dyna chi ddachre stori Y Tri Tenor. Adeg geme rhyngwladol yr hydref o'dd hi a phenderfynwyd trefnu cyngerdd Geltaidd ar ddwrnod y gêm rhwng Cymru a Seland Newydd yn 2010. Yr enw i'r digwyddiad, yn syml iawn, o'dd CeltFest. Ro'dd y dwrnod yn llawn perfformiade gan Gymry amlwg, a The Alarm a Max Boyce o'dd yr enwe mwya. Na'th y trefnwyr gysylltu gyda fy asiant i ar y pryd, Doreen O'Neill yng nghwmni Harlequin, Caerdydd, a gofyn iddi a fydde hi'n gallu ca'l tri tenor at ei gilydd i ganu yn CeltFest.

Ro'dd hyn ar ddiwedd y ddegawd pan dda'th Y Tri Tenor, José Carreras, Plácido Domingo a Luciano Pavarotti, yn enwog drw'r byd. Pêl-dro'd o'dd y man cychwyn ar eu cyfer nhw. Fe welodd dros 800 miliwn o bobol eu perfformiad ar y noson cyn y ffeinal yng Nghwpan y Byd 1990. Recordiad o'r noson 'na yw'r albwm glasurol sydd wedi gwerthu ore drw'r byd erio'd. Buodd y tri yn boblogedd yn fyd-eang o'r flwyddyn 'na tan iddyn nhw berfformio am y tro ola yn 2003. Ond fe barhaodd eu cerddorieth yn boblogaidd am flynydde wedi hynny.

Ro'dd trefnwyr CeltFest am elwa o'r poblogrwydd 'ma ac yn gwbod bod Cymru'n lle da i neud hynny achos ein traddodiad cyfoethog o denoriaid. Pan gath Doreen y cais, ro'dd Rhys Meirion, Alun Rhys-Jenkins a fi gyda chwmni Harlequin ar y pryd. 'Ma Doreen yn cysylltu 'da'r tri ohonon ni a gofyn a fydden ni'n awyddus i ganu gyda'n gilydd fel Y Tri Tenor. Nethon ni gytuno'n syth – yn benna ma'n siŵr am fod tocyn i'r gêm yn rhan o'r trefniant!

Ro'dd y gyngerdd yn Arena Ryngwladol Caerdydd, fel o'dd hi pryd 'ny, y Motorpoint Arena yw hi nawr. Y gofyn o'dd i ni ganu am ryw ugen munud a dewis caneuon poblogaidd, weddol ysgafn, sef y *pot boilers* fel ma'n nhw'n ca'l eu galw. Caradog Williams o'dd yn cyfeilio i ni. Ganon ni ganeuon fel 'O Sole Mio', 'Nessun Dorma', 'Calon Lân', 'Delilah' ac ati. Ro'n ni mla'n yn weddol gynnar yn y dydd, un o'r acts fydde'n cadw'r sosban i ferwi nes i Max Boyce gyrraedd at y diwedd. Ond, bois bach, 'na chi ymateb gethon ni! A'th pawb yn ddwl! Ruthron nhw lawr at fla'n y llwyfan a sgrechen a chanu gyda ni. Ro'dd yn awyrgylch anhygoel a'r tri ohonon ni wedi ca'l amser arbennig.

Ro'dd yr adolygiade'n ffafriol tu hwnt hefyd a phawb yn gweud y dylen ni gario mla'n i berfformio fel Y Tri Tenor. Na'th hwnna neud i ni ddachre meddwl! Buodd y tri ohonon ni, a Doreen a Caradog, yn styried o ddifri a ddylen ni greu'r fath grŵp. Penderfynon ni yn y diwedd taw dyna ddylen ni neud, ac os ei neud e, ei neud e'n iawn. Felly 'ma Doreen yn trefnu sesiwn tynnu llunie a pharatoi'r cyhoeddusrwydd o'dd angen.

A 'ma'r ceisiade i ni gymryd rhan mewn cyngherdde yn dachre llifo mewn! O fewn blwyddyn, ro'n ni wedi recordio ein halbym cynta trwy Sain, a'i lansio ar faes Steddfod Dinbych. Ceson ni bobol i sgrifennu neu i drefnu caneuon i ni, pobol fel sylfaenydd Only Men Aloud, Tim Rhys-Evans, John Quirke y cyfarwyddwr cerdd, Robat Arwyn a Caradog Williams ei hunan hefyd. Sai'n gwbod faint o CDs nethon ni arwyddo'r wthnos 'na, ond buon ni wrthi fflat owt! Ac yn wir, fe a'th yr albym i dop y siartie clasurol, do wir.

Tyfodd ein poblogrwydd fel caseg eira ar ôl yr albym, a chyn hir, ro'n ni'n ca'l gwahoddiade i ganu dramor hefyd. Ethon ni i Ganada, Sbaen a'r Unol Daleithie. Da'th criw teledu S4C gyda ni fan'na, mas i Galiffornia, lle'r o'n ni'n perfformio mewn dwy gyngerdd. Buon nhw'n ffilmo ni'n canu ac yn ymweld â manne enwog fel Beverly Hills, a gwelwyd y cyfan ar S4C mewn rhaglen o dan y teitl *Tri Tenor Cymru yn LA*. Da'th gwaith teledu arall mewn yn ddigon cloi wedyn hefyd, i'r pwynt i ni ga'l ein rhaglen ein hunen, *Noson yng Nghwmni'r Tri Tenor*.

Ro'dd apêl y grŵp yn 'mestyn i Gymry Cwmrâg a'r di-Gwmrâg ym mhobman, felly ro'dd hwnna'n help i'n poblogrwydd ni. Bydden ni'n ca'l ein galw yn 'The Three Welsh Tenors' neu 'Y Tri Tenor' yn dibynnu ar ble o'n ni. Nethon ni ambell gyngerdd yn Lloegr, ond a gweud y gwir, ro'dd cyment o geisiadau'n dod o Gymru, do'dd dim cyfle i ni neud lot mwy dros Glawdd Offa. Ma ymateb y Cymry i ni wedi bod yn sbesial!

Ar ôl i ni neud yr ail albym, penderfynodd Alun Rhys-Jenkins roi'r gore iddi ar ôl bod yn un o'r tri am whech mlynedd. Do'dd bod bant cyment o gytre ddim yn siwto fe ar yr adeg hynny, ac o ganlyniad do'dd ei galon e ddim yn y gwaith tua'r diwedd. Ond ro'dd e'n gwbwl fodlon i Rhys a fi i gario mla'n os taw dyna o'dd y ddou ohonon ni ishe. Ro'dd e hefyd, ware teg iddo fe, yn fodlon ein helpu ni i whilo am rywun i gymryd ei le fe, os taw dyna o'dd Rhys a fi ishe.

Penderfynodd y ddou ohonon ni ein bod ni ddim ishe rhoi'r gore iddi. Ro'dd Y Tri Tenor yn mynd yn rhy dda i ni orfod dod â fe i ben yn gyfangwbwl. A ro'n ni'n ca'l siwd gyment o sbri hefyd! Dethon ni i'r penderfyniad taw Aled Pentremawr o'dd y boi i gymryd lle Alun. Derbyniodd e'r gwahoddiad, diolch byth. Erbyn hyn, ma fe wedi bod 'da ni am ryw chwe blynedd. Ma Aled wedi bod mas dramor 'da ni hefyd, pan aethon ni i Ŵyl Cymry Gogledd America.

Ro'dd e'n itha anodd i Aled gamu mewn i le rhywun arall. Dyw neud rhwbeth fel'na ddim yn rhwydd o bell ffordd. Yn un peth, ro'dd Rhys a fi yn gwbod geirie pob cân ro'n i'n eu canu a ro'dd *repertoire* sylweddol 'da ni ar ôl wech mlynedd. Ro'dd y ddou ohonon ni'n gwbod yn reddfol siwd o'dd y llall yn mynd i ymateb fan hyn a fan draw mewn unrhyw gân, beth fydde'r llall yn neud nesa. Bwrodd Aled ati o ddifri ar ôl cytuno i ymuno â ni a dysgodd e'r cwbwl yn drylwyr. Ma rhaid i fi dynnu'n hat iddo fe am y ffordd na'th e hwnna a chadw i ffarmo llawn amser hefyd!

Ro'dd llwyddiant Y Tri Tenor yn creu pen tost arall i asiant y tri ohonon ni. Ro'dd gofyn cwrdd â'r galw amdanon ni, a sicrhau ar yr un pryd bod gwaith unigol y tri ohonon ni yn cadw i fynd hefyd. O, ie, a bywyd personol a theuluol hefyd! Ro'dd y tri ohonon ni wedi addo i'n gilydd mai gyrfa bersonol o'dd yn dod gynta, cyn unrhyw waith i'r tri ohonon ni 'da'n gilydd.

Yn fy achos i, y pen tost gafodd ei greu i fy asiant, Chris – ro'n i wedi symud o Harlequin erbyn hynny – o'dd iddo lwyddo i ga'l gwaith i fi yn Covent Garden ar yr adeg pan ro'dd Y Tri Tenor ar eu mwya bishi. Sdim ishe gweud bod Covent Garden i ganwr opera yn rhwbeth mwy na sbesial! Ro'dd galw mowr am ddonie jyglo Chris wedyn! Ond da'th yn amlwg yn weddol gloi y bydden i'n gorfod gwrthod neud ambell gyngerdd Y Tri Tenor. Pe bydde 'na'n digwydd, bydde'r ddou arall yn colli mas wedyn wrth gwrs. Do'dd hynny ddim yn deg arnyn nhw a ro'dd gofyn trafod y fath sefyllfa. Fe nethon ni gytuno. Os nad o'dd y tri ohonon ni ar ga'l, bod y ddou arall yn perfformio beth bynnag. Hyn na'th arwen at Aled a Rhys yn mynd rownd fel Tra Bo Dau. A 'nes i noson 'da Aled unweth pan o'dd Rhys yn ffaelu bod gyda ni. Ro'dd yn beth da i ni gytuno ar y ffordd 'na o witho i neud yn siŵr nad o'dd un yn creu problem i'r ddou arall.

Ro'n ni'n cymryd rhan mewn cyngherddau 'da phobol eraill neu yn cynnal noson gyfan ein hunen.

Enghraifft o hynny o'dd dwy noson o berfformiade nethon ni yn Felinfach. Penderfynon ni dreial rhwbeth gwahanol. Wrth i'r gynulleidfa gyrraedd ar ddachre'r noson, nethon ni ofyn iddyn nhw a o'dd 'na gwestiyne y bydden nhw'n lico gofyn i ni. Ar ddachre ail hanner y noson wedyn, fe nethon ni gynnal sesiwn cwestiwn ac ateb, a'r gynulleidfa'n ein holi ni. Withodd hwnna'n arbennig! Ma'n amlwg bod pobol yn lico dod i nabod y rhai sy'n eu diddanu nhw a gweld hibo'r ddelwedd sgleiniog sydd ar y llwyfan. Ceson ni ein holi'n dwll yn Felinfach!

Ma'r dou air 'na'n mynd i ddod mas 'to – ma'r tri tenor yn rhwbeth 'hollol wahanol' i bopeth arall fi'n neud. Ni wedi bod yn lwcus bod y tri cynta a'r tri sydd 'da'i gilydd nawr wedi dod mla'n yn arbennig o dda ac wedi ca'l yr undod sydd ishe i neud i rwbeth fel Y Tri Tenor i witho. Ma fe'n mynd â fi nôl i'r dyddie 'ny pan ro'n i'n aelod o grŵp nôl yn Aber, er enghraifft.

Ma'n nodwedd ddigon diddorol bod y pedwar ohonon ni sydd wedi bod yn Y Tri Tenor dros y ddouddeg mlynedd dwetha, wedi dod o gefndiro'dd gwaith a pherfformio gwahanol ac o fanne gwahanol yng Nghymru. Ro'dd Alun o ardal Rhydaman, Rhys o'r Gogledd, wedi ei fagu yn Nhremadog; Aled Pentremawr o Lanbrynmair yn y Canolbarth, a chi'n gwbod o ble dw i'n dod erbyn hyn! Pennaeth ysgol gynradd o'dd Rhys cyn troi i fyd yr opera. Ac yng nghorws Cwmni Opera Cenedlaethol Cymru dachreuodd Alun, cyn troi'n unawdydd ac erbyn hyn ma fe nôl yn y corws. Ma cefndir ffarmo yn gyffredin i Aled a fi wrth gwrs, ond ma'n profiad canu ni'n dou yn gwbwl wahanol eto.

Ond ma'r cwbwl wedi dod at ei gilydd yn well na bydden ni wedi breuddwydo reit nôl ar y dachre. Dw i'n falch iawn i fi gytuno i'r syniad o berfforio yn CeltFest er mwyn ca'l tocynne am ddim i weld gêm Cymru!

Mêr esgyrn Dad

Os yw teulu'n holl, holl bwysig i fi, ma iechyd yn ail itha agos. Ma fe wastad wedi bod a gweud y gwir, ond yn sicir ma hwnna wedi bod yn fwy gwir ar ôl i fi roi'r gore i'r partis, yr yfed a'r amser da! A ni wedi bod yn deulu iach hefyd, diolch byth. Do'n i ddim yn cofio Dad yn mynd yn dost erio'd. Ond newidiodd hwnna i gyd ym mis Medi 2014.

A'th Dad i Landysul i roi gwâd. Ma fe wedi neud hynny erio'd. Un cof cynnar iawn sydd 'da fi ers pan o'n i'n blentyn o'dd sticyr 'Give Blood' ar gefen y car. Ro'dd Dad yn credu'n gryf bod rhoi gwâd yn bwysig. Ma fe wedi helpu lot fowr o bobol ar hyd y blynydde trw neud hynny. Y flwyddyn arbennig 'ma, da'th rhoi gwâd nôl i'w helpu fe mewn ffordd annisgwyl a real iawn.

Bant â Dad ar ddwrnod ola Medi i Landysul unweth 'to. Ro'dd e'n hen gyfarwydd â'r drefen, wrth gwrs, ac yn edrych mla'n at ei ddishgled o de a bisgïen ar y diwedd. Ond dethon nhw ato fe ar ôl sbel a gweud, 'Sori, Mr Jones, ond ni ffili cymryd gwâd wrthoch chi heddi. Ni'n credu falle bydde fe'n syniad i chi fynd

111

i weld y doctor.' Ro'dd hynny'n syndod, wrth gwrs, ond na'th Dad ddim meddwl lot amdano fe, dim ond penderfynu y bydde fe'n well iddo fe wrando a mynd at y doctor.

Cafodd brofion gwâd yn y syrjeri a chyn ei fod e'n gallu troi rownd, ro'dd y doctor yn gweud wrtho fe bod ishe iddo fe fynd i'r ysbyty. Ac nid mater o wneud apwyntiad o'dd e. Fe alwon nhw ambiwlans a mynd â fe ar frys i'r ysbyty. Ond nid mynd â fe i Gaerfyrddin nethon nhw chwaith. O na, ethon nhw â fe i Ysbyty Athrofaol Cymru yng Nghaerdydd, sef Ysbyty'r Heath wrth gwrs. 'Na beth o'dd sioc aruthrol! O fynd i roi gwâd fel ro'dd e wastad wedi neud, i ga'l ei ruthro i ysbyty milltiro'dd o gytre mewn dim amser! 'Na beth o'dd siglad iddo fe ac i'n byd ni fel teulu.

Cadarnhaodd profion yr ysbyty bod *acute myeloid leukemia* (AML) 'da fe. Yn rhyfedd iawn, do'dd dim arwydd o gwbwl bod e ddim yn teimlo'n hwylus lan at y dwrnod 'na. Wir i chi, dwrnod cyn iddo fe fynd i roi gwâd ro'dd e'n gwitho ar y ffarm. Buodd e'n plastro walydd, torri'r borfa rownd y tŷ a neud gwaith ffarm. Na'th e ddim stopo tan tua deg o'r gloch y nos. Ro'dd yn amlwg bod y doctoried yn yr ysbyty ddim cweit yn gallu deall beth o'dd beth chwaith ac yn synnu nad o'dd Dad yn teimlo'n ddi-hwyl, ddim mas o anadl, ddim yn blino'n rhwydd ac ati. Dim arwyddion o gwbwl bod unrhyw beth yn bod. Ro'n nhw ffili credu popeth na'th e y dwrnod cyn mynd i roi gwâd!

Pan gafodd y liwcimia ei gadarnhau, 'na ni wedyn, do'dd dim dod gytre o Gaerdydd i fod. Ro'dd gofyn dachre trinieth. Dachreuodd y cemotherapi brys ar unweth. Cafodd Dad lot o brofion wrth gwrs. A 'ma chi syniad o ba mor iach o'dd e. Yn un o'r profion 'ma, pan ethon nhw ati i dynnu mêr mas o'i esgyrn e, torrodd sawl nodwydd wrth iddyn nhw fynd mewn i'w asgwrn! Ro'dd y staff meddygol ffili credu siwd beth, ac yn eironig ddigon o styried ble ro'dd e a pham, ro'n nhw wastad yn gweud mor iach o'dd e! 'Na chi hysbyseb da i yfed lla'th, a fe'n ffarmwr lla'th hefyd wrth gwrs!

Ro'dd y cwbwl lot yn rhwbeth anodd iawn i glywed ac i gymryd mewn. Do'dd Dad byth yn dost – 'na beth o'dd yn mynd rownd a rownd yn fy mhen. Ro'dd en 74 pan ddigwyddodd hyn i gyd, a ma hwnna'n amser hir uffernol i rywun bido bod yn dost o gwbwl. O ganlyniad, do'dd e byth yn ystyrieth i ni fel teulu y bydde fe'n gallu mynd yn dost o gwbwl. Do'dd e ddim wedi croesi'n meddwl ni. A nawr hwn. Anghofia i byth y dwrnod pan dda'th y neges i weud taw liwcimia o'dd ar Dad. Ro'dd perthynas sy'n ffarmo ar ein bwys ni, Alun Gilfach Fowr, yn digwydd bod yn y tŷ 'da fi pan ganodd y ffôn. Welodd e'r golwg ar fy ngwyneb a bo fi wedi ca'l siglad uffernol. Ro'n i bwyti fod yn cwmpo ar fy mhenglinie. Gath e itha ofon, a wedi deall y newyddion ei hunan ro'dd e'n gysur i fi ar yr union adeg pan ges i'r newyddion. Diolch byth bod e 'na.

A'th Dad trw amser ofnadw pan gath e'r drinieth. Ro'dd y corff yn diodde'n go wael. Ond ro'dd y meddwl yn diodde hefyd. Bydde fe'n ca'l dwrnode digon tywyll. Chi'n cofio i fi weud bod Dad wedi gorfod siarad yn

113

itha plaen 'da fi pan golles i'n llais yn Ninbych-y-pysgod? Wel, da'th tro ar fyd. Ar un o'r dwrnode tywyll, ro'dd yn fater o fi'n siarad yn itha plaen 'da fe. Do'dd e ddim yn gweld lot o obeth dod trwyddo popeth o'dd yn digwydd iddo fe. Ymateb digon naturiol. Ond ro'n i'n teimlo taw gweud hi fel ro'dd hi o'dd y ffordd ore i helpu i dynnu fe trw'r fath gwmwle. 'Nes i atgoffa fe mor lwcus o'dd e nad o'dd e wedi gorfod blasu bwyd ysbyty erio'd a wedyn sôn bod plentyn un ar ddeg oed drws nesa iddo fe a chanddo fowr o obeth o weld y Nadolig. Ro'n i'n ei annog i roi pethe mewn persbectif gwahanol.

Rhyfedd ffordd ma pethe'n gwitho mas. Fi wedi sôn am batrwm y tymhore opera a gweud bod cynyrchiade cwmnïe fel Cwmni Opera Cenedlaethol Cymru yn digwydd yn yr hydref. Wel, do'n i ddim wedi ca'l cynnig opera 'da nhw na neb arall yr hydref hwnnw, felly o'dd digwydd bod amser bant gyda fi o hydref tan y Nadolig. Ro'dd hynny'n golygu bo fi'n gallu mynd nôl a mla'n i'r ysbyty gyment ag o'n i ishe. Ro'dd hwnna'n wyrthiol ac yn fendith! Yr unig beth o'dd yn rhaid i fi neud o'dd canslo cyngerdd 'da Côr Merched Hywel yn Llanelli, reit ar ddachre'r cyfnod pan a'th Dad mewn i'r ysbyty. A 'na'r unig waith dw i erio'd wedi gorfod canslo. Galle pethe fod mor wahanol petai tymor cyfan o opera 'da fi tra ro'dd Dad yn yr ysbyty. Gallen i fod yn Siapan!

Ro'dd yr holl gyfnod yn newid byd i ni yn ymarferol hefyd. 'Ma pryd da'th y ffaith mai fy ffrind Rob Nicholls brynodd fy fflat, er mwyn i ni allu symud i Sain Ffagan pan dda'th yr efeillied, yn handi dros ben. A'th Mam i aros yn y fflat gyda Rob wedyn, fel bo hi'n gallu mynd i weld Dad bob dydd yn yr ysbyty. Buodd Rob yn help mowr i ni drw'r cyfnod 'na. Ro'dd y ffaith bo Mam yn gallu aros yn y ddinas yn neud pethe gyment yn haws. Ro'dd Natalie, Elen, Dan a finne yn mynd i'r ysbyty mor amal ag o'dd yn bosib i helpu Dad yn ei frwydyr. Buodd Dad yn yr ysbyty am bron i dri mis. Llwyddodd y cemo cystal, erbyn Ionawr 2015 ro'dd y liwcimia wedi mynd yn llwyr! Ma'n edmygedd i ohono a siwd na'th e dynnu trw hwnna i gyd yn enfawr. Ma fe wastad wedi bod yn arwr i fi, ond ro'dd e'n fwy byth o arwr ar ôl hynny.

Ro'dd hynny'n newyddion arbennig wrth gwrs. Ond cafodd air o rybudd gan y doctoried. Oherwydd ei oedran, ro'dd yn fwy na thebygol y bydde'r canser yn dod nôl. Ro'dd un ateb posib, ond ro'dd yn risg ac yn anarferol iawn i'w gynnig i rywun o oedran Dad – trawsblaniad mêr yr esgyrn. Wel, 'na beth o'dd rhwbeth arall i drio cymryd mewn! Ro'n nhw'n gwbod ei fod e'n drinieth bosib ond ar yr un pryd yn ansicir iawn ynglŷn â'i gynnig e i Dad a buodd lot o drafod, galla i weud wrthoch chi! A hynny heb sôn am ein trafod ni fel teulu.

Ond da'th y dydd pan benderfynodd y meddygon bod Dad wir yn ddigon cryf ar gyfer y trawsblaniad. Ro'n nhw wedi gweld siwd o'dd e'n gyffredinol ac yn grediniol y galle fe gymryd y fath drinieth ac elwa ohono. Ma'n siŵr bod cofio gweld esgyrn Dad yn torri nodwydde yn rhan o'u penderfyniad! Ro'dd Dad, a ni gyda fe, yn gorfod meddwl am hwn o ddifri wedyn. O'dd, ro'dd y doctoried wedi penderfynu cynnig y drinieth. Ond ro'dd yn rhaid i ni feddwl go iawn nawr a o'dd e werth cymryd cam mor fowr. Ar un llaw, bydde ca'l y drinieth yn cadw'r liwcimia draw ac yn ei rwystro rhag dod nôl 'to. Ond ar y llaw arall, do'dd dim sicrwydd y bydde corff Dad yn gallu derbyn y mêr newydd ac yntau'n 74. O safbwynt Dad, ro'dd e'n weddol bendant nad o'dd e am fynd 'to trw beth a'th e drwyddo yn y misoedd buodd e yn yr ysbyty. Tra ro'dd e 'na, fe welodd e sawl un yn colli eu brwydyr yn erbyn y canser o'dd 'da nhw. Ro'dd hwnnw'n pwyso arno fe hefyd. Felly, yn y diwedd, un ymateb o'dd mewn gwirionedd, mynd mla'n â'r trawsblaniad.

Wel, ro'dd gofyn ffindo rhywun wedyn a alle gynnig mêr esgyrn i Dad. O'dd rhaid iddyn nhw ffindo rhywun â chelloedd o'dd bron yn union 'run peth â Dad ac ma cyment o bethe ma'n nhw'n gorfod cadarnhau wrth whilo am rywun alle ei helpu fe. Ro'dd hi'n broses drylwyr tu hwnt. Ond yn lwcus iawn, do'dd y whilo ddim yn broses hir. Mewn dim o amser da'th galwad ffôn i weud bo nhw wedi dod o hyd i rywun a o'dd am roi mêr ei esgyrn a ro'dd hwnnw'n agos iawn, iawn at beth o'dd ei angen ar Dad. Croten ifanc o Ffrainc o'dd hi. Mla'n â'r drinieth, 'te! Ro'dd yn gyfnod anodd, ond yn llwyddiannus.

Y sefyllfa wedyn wrth gwrs o'dd bod corff Dad yn sydyn reit yn llawn mêr dierth ac yn gorfod dod yn gyfarwydd â'r mêr newydd 'ma. Ma 'na gyfnod o addasu a chyfarwyddo yn digwydd. A do's dim sicrwydd o gwbwl bod y corff yn mynd i dderbyn y mêr newydd. Ma'n llythrennol yn gywir fel injecto *alien* mewn tu fiwn i chi! Ro'n ni gyd yn gobitho ac yn gweddïo y bydde'r mêr newydd yn setlo.

Drw'r cyfnod 'ma i gyd, da'th dwy ergyd arall ar ben beth o'dd yn digwydd i Dad. Dwi wedi sôn am dri cefnder i fi – Berian, Euros a Lynwen. Cafodd Euros ganser a ro'dd yn mynd trwy ei drinieth yr un pryd â Dad. Ond na'th trinieth Euros ddim llwyddo. Buodd e farw cyn ei fod e'n hanner cant. Ro'dd Euros yn byw gytre 'da'i dad, Islwyn. Ro'dd e mor nodweddiadol o ddynon ei gyfnod, a byth yn dangos os nad o'dd e'n teimlo'n hwylus. Ma ffermwyr yn enwedig yn anfodlon iawn i ddangos bod rhwbeth o'i le a dim syndod bod ffigyre ffermwyr sy'n cymryd eu bywyd eu hunen mor uchel. Fi'n cofio pobol yn dod i'r ffarm i fynd â dryll Dad bant oddi wrtho fe ar ôl ca'l y newyddion am y liwcimia, rhag ofn. Ma'n amlwg bod hwnna'n drefn arferol yn y fath sefyllfa, sy'n gweud lot am y sefyllfa ym myd y ffermwyr.

Beth bynnag, do'dd Islwyn ddim wedi gweud wrth unrhyw un nad o'dd e'n iach. O fewn whech mis i Euros farw, buodd ei dad farw hefyd. A beth o'dd 'da fe? Liwcimia. Od i feddwl bod Islwyn wedi gweld Dad yn mynd trw drinieth liwcimia a ddim wedi dangos dim ei fod e arno fe hefyd. Fe gollodd fab i ganser a nath hynny ddim mo'i sbarduno fe i whilo am drinieth chwaith. Ma ofon yn gallu cydio go iawn a cha'l yr effeth ryfedda.

Na'th y ddwy golled 'na neud ein teimlade ni'n lot

mwy cymysglyd. Ar un llaw ro'dd gorfoleddu mowr bod Dad wedi dod trw bopeth a bod e nôl gytre ar y ffarm yn holliach. Ond ar y llaw arall ro'n ni'n gorfod delio 'da colli dou mor agos i ni mewn cyfnod mor fyr. Cyfnod anodd, cyfnod od a gweud y gwir a theimlade croes i'w gilydd yn digwydd 'run pryd i ni gyd drw'r trwch. Yr unig gysur, os cysur o gwbwl, o'dd i hyn i gyd ddigwydd mewn cyfnod cymharol fyr.

Ond nôl at stori Dad. Diolch byth ro'dd y mêr newydd wedi setlo yn ei gorff. Cafodd Dad glywed bod y liwcimia 'na arno fe wyth mlynedd yn ôl, ond ma fe dal 'da ni ac yn holliach! Chi'n gweld nawr pam bod y ffaith i Dad a Mam ddod i weld fi yn fy *debut* yn Covent Garden, flwyddyn ar ôl y trawsblaniad, yn golygu lot mwy i fi nag y bydde fe fel arall!

Ma'r byd meddygol yn falch iawn i weud stori Dad mor amal â ma'n nhw'n gallu, fel yr un stori 'na sy'n gallu cynnig gobeth. Ma fe gyda'r hyna ym Mhrydain i ga'l trawsblaniad mêr yr esgyrn. Un canlyniad cwbwl anhygoel ac anghredadwy i'r trawsblaniad 'ma yw bod 'da Dad grŵp gwâd cwbwl wahanol nawr i'r un o'dd 'da fe pan gafodd e ei eni! Ma'r mêr newydd wedi creu gwâd cwbwl newydd. 'Na beth rhyfeddol!

Ni'n amal yn tynnu coes Dad achos mai mêr merch o Ffrainc gafodd e ac yn gofyn a yw e'n teimlo unrhyw wahanieth achos hynny, neu unrhyw sgil-effeithie. 'Na,' ma'n ateb, 'ar wahân i'r ffaith bo fi'n lico garlleg 'da phopeth nawr ac yn byta'r malwod i gyd yn yr ardd!'

Wagner, ffowls ac ambell lun

BLWYDDYN RYFEDDA O'DD 2019. I rywun sydd wedi sôn digon am faint 'ma gytre'n golygu iddo fe, falle byddech chi'n synnu deall taw dim ond am bythefnos ro'n i gytre trw gydol 2019! Ie, wir i chi! Ro'dd fy asiant, Chris, wedi neud ei waith go iawn y flwyddyn 'na a llanw pob mis, heblaw am y bythefnos o wylie ym mis Awst 'nes i ofyn amdanyn nhw! 'Ma'r flwyddyn ro'n i mas yn Sweden a hedfan i'r Cotswolds nôl a mla'n. Wrth i'r flwyddyn 'ma ddod i ben, ro'dd y flwyddyn ganlynol yn llanw'n deidi hefyd. Wel, mwy na llenwi a gweud y gwir. Ces i gyfres o gytundebau o'dd yn golygu bod blwyddyn a thri mis o waith 'da fi yn Covent Garden – trw gydol 2020 a mewn i 2021. Ma hwnna'n beth arbennig iawn i ganwr opera a ro'n i wrth fy modd, yn ddigon naturiol. Ro'dd hwnna'n dod â dou deimlad hyfryd at ei gilydd, ca'l sicrwydd gwaith am gyfnod hir ac ar ben hynny, ro'dd y gwaith 'na yn un o'r llefydd gore yn y byd i gyd i fod fel canwr. Allen i fyth fod wedi breuddwydo am well cyfnod o waith.

Ond. Oes, ma 'na OND ac un go fowr hefyd. Da'th y term COFID 19 i'n byd ni gyd. Cafodd y cynhyrchiad cynta yn Covent Garden ei ganslo, a wedyn yr ail ac yna'r trydydd. Yn diwedd, canslwyd y gwaith i gyd, blwyddyn a thri mis ohono fe. Ro'dd hynny'n golygu dros naw deg o sioeau i gyd. 'Na beth o'dd ergyd galed iawn. Colli Gwaith. Colli arian. Ro'dd yn sefyllfa gwbwl newydd i drio ymdopi â hi. 'Na gyd o'n i'n clywed o'dd ffrindie i fi o'dd yn gantorion rownd y byd yn gweud bod eu gwaith nhw wedi ca'l ei ganslo hefyd. Da'th yn amlwg yn gynnar iawn taw ni fydde'r diwetha i fynd nôl i witho gan taw'r theatre fydde'r adeilade ola i agor eto. Ond o leia ro'dd pawb yn yr un cwch. Ma'n siŵr bod hwnna'n help i ni gyd dderbyn y sefyllfa tamed bach yn haws, fel ro'dd e i bawb arall mewn sefyllfaoedd cwbwl wahanol, wrth gwrs. Ro'dd un peth yn sicir, bydden i gytre am fwy na phythefnos yn 2020.

Fi'n hen gyfarwydd 'da bod gytre am gyfnode hir, misoedd ar y tro ambell waith. Ond ma hwnna wastad rhwng dou gynhyrchiad gwahanol ac yn amal ma cyngherdde fan hyn a fan draw. A fi wastad yn gwbod bod gwaith ar ddiwedd unrhyw gyfnod gytre. Ond dim tro 'ma. Ro'dd gofyn am ffordd newydd o feddwl nawr, ar bob lefel o fywyd. Ro'dd ishe sorto pethe ariannol mas ar frys. Ro'dd yr incwm wedi mynd. Rhaid i fi ganmol Covent Garden yn hynny o beth. Er bo dim rhaid iddyn nhw, fe benderfynon nhw dalu 20% o'r ffi ro'n i wedi cytuno arni ar gyfer y cynyrchiade gwahanol dros y flwyddyn a'r tri mis.

Pan ro'dd dyddiad dachre pob opera'n cyrraedd, ro'n i'n ca'l 20%. O leia ro'dd rhywfaint yn dod mewn nawr ac yn y man.

Newid byd o'dd hi go iawn. 'Na le o'n i yn ishte gytre yn meddwl beth allen i neud gyda'r holl amser rhydd o'dd 'da fi nawr. Do'dd dim lot o broblem gyda'r hunanynysu gan fod y cymydog agosa rhyw gwarter milltir bant. Do'dd hwnnw'n ddim byd newydd mewn gwirionedd. Ro'dd can erw 'da ni i gerdded rownd y tir heb fynd at dir unrhyw un arall. Felly ro'dd modd mynd mas o'r tŷ am wacen fach. Do'dd dim lot o newid fan'na. Ond teimlad od o'dd gorfod derbyn nad o'dd dim byd gallen i neud o gwbwl mewn unrhyw ffordd o ran gwaith. Do'dd dim ateb, dim ffordd arall. Yn yr amser newydd 'ma, ro'dd cyfle i ishte nôl ac edrych ar bethe mewn ffordd wahanol. Cyfle i bwyso a mesur.

Yn raddol, dachreues i sylweddoli mor lwcus o'n i wedi bod mewn bywyd. Ro'n i'n byw mewn tŷ ro'n ni wedi bod yn rhan o'i gynllunio, nôl ar glos y ffarm lle ges i fy ngeni. Ro'dd teulu 'da fi sy'n golygu siwd gyment i fi. Ond er hynny i gyd, dim ond am bythefnos ro'n i wedi bod yn y cartre 'ma yn 2019. Dachreues i ofyn i'n hunan pam bod y fath sefyllfa wedi codi? Pam bo fi bant cyment o le o'dd mor agos at fy nghalon i? O edrych nôl, da'th yn amlwg bod angen i bethe slowo lawr tamed bach beth bynnag. Des i sylweddoli faint o'n i'n ei golli wrth beidio bod gytre. Yn raddol bach, dachreues i fwynhau bod gytre a setlo i batrwm a rhythm bywyd newydd.

Es i nôl at y patrwm bob dydd o'dd 'da fi pan o'n i

nôl ar y ffarm yn godro, ar ôl dyddie Aber. Dachreues i godi am bump y bore unweth 'to a mynd mas am dro rownd y ffarm, neu'r hewlydd ar bwys. A fan'na cododd yr awydd i ddachre tynnu llunie. Ro'dd Elen, y ferch, wedi dachre tynnu llunie sbel cyn 'ny. Pan weles i bod dawn arbennig, naturiol 'da hi fe brynes i gamera iddi, Nikon Coolpix. Ond ro'dd hwnnw yn rhyw gwpwrdd rhywle erbyn 2020 ac Elen yn dibynnu mwy a mwy ar y ffôn i dynnu llunie. Penderfynes i fynd i whilo am y camera, dod o hyd iddo fe a dachre tynnu llunie wrth fynd am dro gyda'r wawr. Cyn hir wedyn dachreues i roi llun ar Twitter bob dydd a hynny am taw 'na'r unig ffordd ro'n i'n gallu cadw cysylltiad gyda phobol. Dachreuodd yr ymateb i'r llunie gydio ac ennyn lot o ddiddordeb. Ro'dd ffrindie byd opera, er enghraifft, o'dd wedi clywed cyment am fy milltir sgwâr nawr yn gallu gweld y lle eu hunain, a dod i nabod y man ro'n nhw wedi clywed cyment amdano. Ro'dd hwnna'n ffordd arall rownd i fel o'dd pethe wedi bod. Cyn hynny, ro'n i'n rhoi llunie ar Twitter er mwyn i bobol gytre ga'l gweld lle ro'n i yn y byd. Nawr ro'dd modd dangos gytre i bobol y byd.

Ma'r busnes llunie 'ma wedi cydio go iawn erbyn hyn ac ma'r ymateb i beth fi'n ei roi ar Twitter bob dydd yn arbennig. Mae wedi bod yn syrpréis llwyr i fi a gweud y gwir. Yn y misoedd cynta 'na, ro'dd yn ffordd i fi ga'l tynnu'n feddwl o'r holl waith ro'n i wedi ei golli, y ffaith nad o'dd posib ffindo gwaith arall a bod dim syniad 'da fi pryd bydde gwaith 'da fi nesa. Y peth gwaetha allen i neud o'dd ishte yn tŷ a'n drâd lan a meddylu a meddylu a chwmpo i ryw bwll du. Ro'dd mynd am dro â'r camera wedi rhoi clawr ar y pwll 'na. A ro'dd yr elfen gymdeithasol – trw'r cyfrynge cymdeithasol – yn help mowr hefyd. Ro'dd y camera yn rhoi persbectif newydd i fi, fel ro'n i wedi annog Dad yn yr ysbyty i ga'l persbectif newydd ar ei gyflwr e. Ro'dd edrych mas dros gefn gwlad yn foddion da i iechyd meddwl ac yn ffordd i gliro'r meddwl yn llwyr. 'Na gyd o'dd yn fy meddwl i o'dd popeth o'dd o fla'n fy llyged i a dim arall.

Na'th hyn yn ei dro i fi werthfawrogi'r byd o'n gwmpas i yn fwy byth. Prydferthwch naturiol Sir Gâr. Da'th atgofion o'r ffordd ro'n i wedi arfer byw fy mywyd yn yr un lle nôl i fi'n gryf a chlir. 'Nes i sôn yn barod mor egseited ro'n i'n mynd pan o'n i'n blentyn amser seilej. 'Na beth o'dd gwylie ysgol i ni fel plant yr ardal. Do'dd Cofid ddim wedi rhoi stop ar yr angen i neud y seilej, ro'dd dal ishe neud e. A finne gytre, ces fy atgoffa faint 'nes i weld ishe'r cyfnod cyffrous, cymdeithasol, iachus 'na o neud seilej. Da'th gwynt y seilej ffresh nôl i ffroenau'r cof.

Ces i gyfle i atgoffa'n hunan bod Dad yn dipyn o arddwr. Nid bo fi wedi anghofio hynny, wrth gwrs, ond ma gwahanieth rhwng cofio a gwerthfawrogi. Wrth ei weld e wrthi, 'nes i feddwl, wel, jiw, alla i neud hwn hefyd. A 'ma fi'n bwrw ati i ddachre garddio fy hunan. Peth arall 'nes i ddachre neud o'dd magu ffowls. Do'n i erio'd wedi neud hynny, er bod ffowls wastad wedi bod ar glos y ffarm. Ond nid fi o'dd wedi

eu magu nhw. Ond cyn dod nôl at hyn, ma ishe sôn
am Natalie eto.

Buodd hi drw newid byd dwbwl mewn ffordd.
Ro'dd hi wedi bod yn gwitho ym myd y siope dillad
ers dros dri deg mlynedd. Yn y flwyddyn cyn Cofid,
ro'dd hi'n rheoli siop H+M yng Nghaerfyrddin. Ond
ro'dd hi wedi ca'l llond bola o weithio yn y byd 'na.
Ro'n ni gyd yn gweud wrthi os nad o'dd hi'n hapus
ro'dd yn rhaid whilo am rwbeth arall. Penderfynodd
hi yn diwedd i droi at fyd gofal henoed. Dachreuodd
fynd i gynnal hen bobol yn eu cartrefi eu hunen, a
hynny'n lleol. Ro'dd hi'n mynd i Rydaman i ga'l yr
hyfforddiant, a bydden i'n amal yn mynd lawr 'da hi,
ca'l ambell goffi bach fan hyn a fan 'co a nôl gytre
wedyn. Da'th ei hyfforddiant i ben – wthnos cyn y
cyfnod clo cynta! Do wir!

Wel, ro'dd hi mewn i'w chanol hi cyn dachre
bron, reit ar y llinell fla'n. Ro'dd hi'n gwitho cyment
ag y galle hi drw'r flwyddyn 'na. Peth od iawn o'dd
ei gweld hi'n gorfod gwisgo'r holl PPE i ddiogelu ei
hunan wrth fynd ambwyti ei gwaith. Na'th hi ddwli
ar y gwaith newydd a joio treulio amser 'da gwahanol
gymeriade yr ardal. Ac wrth gwrs, ro'dd lot o'r rhai
hŷn yn cofio fi ac wrth eu bodd pan ro'n nhw'n ffindo
mas taw fy ngwraig i o'dd yn edrych ar eu hôl nhw.
Ro'dd yn fendith ei bod hi wedi ca'l y gwaith a gweud
y gwir, a finne heb ddim byd.

Ro'dd hi'n edrych ar ôl un boi yng Nghastellnewydd
Emlyn o'dd yn arfer bod yn ddeintydd. Ro'dd e'n dost
yn ei gartre. Ei ddiléit mowr e o'dd magu cywion. A

nawr chi'n gweld o ble fi'n dod! Ro'dd Natalie yn ei dŷ e un dwrnod a dwedodd gwraig y boi wrthi bod angen ca'l gwared â'r cywion. Do'dd dim modd edrych ar eu hôl nhw bellach. Wel, ma Natalie'n cyrraedd gytre â naw o gywion bach 'da hi! A 'na ddachre ar fy ngyrfa i'n magu ffowls!

Yn y tŷ o'n i'n magu nhw, ac yn eu cadw nhw ar bwys y boiler. Prynu sied ffowls wedyn a bwrw ati o ddifri. Do'dd byth prinder wyau! Gyda chywion bach, sdim ffordd i wbod beth sy 'da chi, ieir neu geiliogod. Sdim ffordd o whitho fe mas! Fel tro'dd pethe mas, ro'dd tri ceiliog 'da fi. Ro'dd un yn dipyn o gymeriad. Boris o'dd enw tad y ceiliog 'ma, a ro'dd y cyn-berchennog wedi gorfod ca'l gwared ar Boris achos ei fod e'n aderyn mor fowr ac yn jwmpo arni hi ac yn ei bwrw hi lawr. Tyfodd mab Boris yn whompyn hefyd a throi'n gas wrth fynd yn hŷn. Bydde fe'n iawn 'da fi, ond dim 'da diethried. Duw help y dyn dda'th i roi bocs Sky mewn yn y tŷ yn ystod y cyfnod clo! Mor gynted ag o'dd e mas o'r fan ro'dd y ceiliog wedi jwmpo ar ei ben e! Cnoc ar y pen a ta ta o'dd hi – i'r ceiliog wrth gwrs, nid y dyn Sky! Ces wared â cheiliog arall i foi lan yr hewl, Bleddyn Cwmwplyn, ar ôl i fi glywed bod Bleddyn yn whilo am un. Ma'r ceiliog 'na dal 'da fe a fi'n ei weld e pan a'i am dro rownd ffor 'na. A ma'r ceiliog arall gyda Dad.

Erbyn heddi, ma'r ffowls hefyd wedi symud tŷ, a mynd draw at y rhai ma Dad yn eu cadw, yr ochor arall i'r clos. Ma'n nhw i gyd gyda'i gilydd fan'na. Cymerodd y ffowls lot o'n amser i drw'r cyfnod clo a rhoi lot o fwynhad i fi hefyd.

Ro'dd y plant gytre drw'r amser wrth gwrs a ro'dd ishe dod i delere 'da'r newid byd arnyn nhwthe hefyd. Un peth nethon nhw ofyn amdano'n gyson o'dd ca'l ci bach i'r tŷ. 'No way,' medde fi. 'Dim diolch, achos unweth bydden ni nôl yn y gwaith fydd neb i edrych ar ei ôl e, gadwch eich nonsens.' Ond tra ro'dd hwn yn mynd mla'n, 'ma ffrind i Natalie yn rhoi neges ar Facebook i weud bod cŵn bach ar werth 'da hi, Jack Russells. Ro'dd rhyw whech neu saith 'da hi ar werth, a ma fi'n edrych ar eu llunie nhw un dydd. Es i heibio pob un heb newid fy meddwl, tan i fi gyrraedd yr un ola. 'Na lle ro'dd gwyneb ci bach pert yn edrych mas arna i, ei wyneb yn hanner du, hanner gwyn. Wel, ro'dd rhaid ca'l y ci 'ma! Toddodd e 'nghalon i'n syth, jyst trwy un llun! A 'na ddod â Twm i fewn i'n bywyd ni fel teulu.

Ma fe erbyn heddi wedi dod yn dipyn o seren, tipyn fwy o seren nad ydw i yn sicir! Gan ei fod e'n dod mas 'da fi am dro bob dydd, ma fe yn lot fowr o'r llunie fi'n tynnu. A gan bo rheina yn ffindo'u ffordd i fyd Twitter, ma llunie o Twm dros y byd i gyd! Do'dd dim syniad 'da ni pan gethon ni fe bod Twm yn hollol fyddar. Wrth iddo fe ddod yn hŷn ro'n ni gyd yn meddwl bod rhwbeth bach ddim cweit yn reit, a 'na beth o'dd e, odd y diawl bach yn clywed DIM! Bwrw ati wedyn i ddysgu arwyddion gwahanol iddo fe 'da'n dwylo a nawr ni gyd yn deall ein gilydd i'r dim.

Trw'r holl amser bant 'ma, ro'dd e dal yn bwysig i fi edrych ar ôl y llais, er nad o'n i'n gwbod pryd bydden i'n gallu ei ddefnyddio fe 'to. 'Nes i ymarfer y llais bob dydd gytre. Ro'dd yn hollbwysig i fi neud hynny. Ro'dd yn gyfle hefyd i fi fanteisio ar ddysgu gweithie newydd. Ma canu'r un operâu yn rheolaidd yn beth digon derbyniol, ond wrth gwrs, ma'n golygu nad yw cyfle'n codi'n amal i ddysgu unrhyw beth newydd sbon sydd y tu fas i'r cylch arferol o weithie. Yn benodol, 'nes i droi i ddysgu lot mwy o waith Wagner yn ystod y cyfnod clo. Sai wedi ca'l lot o brofiad o'i operâu e. Ma'n bosib iawn y bydda i'n mynd mwy i'r cyfeiriad 'na yn y blynydde i ddod. Perygl arall o wbod y rhan fwya o'r gweithie dwi'n perfformio yw anghofio beth yw'r broses ddysgu. Gallen i fynd am gyfnod hir iawn heb orfod dysgu unrhyw beth newydd o gwbwl. Ma ishe ailddachre gwbod siwd ma mynd ati i ddysgu, a chadw'r ddisgybleth 'na, sy'n rhan hanfodol o fywyd canwr, yn siarp hefyd. Ma'n beth diog iawn i gwmpo nôl ar ddim ond y rhanne 'na chi'n gwbod ore, chi'n gyfforddus 'da nhw. Sdim dowt ces i ddigon o amser i ddysgu unweth 'to nôl gytre. Ma'n her i fynd at waith newydd, ei ddadansoddi, ei dynnu fe'n ddarne, a bwrw ati 'da'r iaith, y gerddorieth a'r cymeriadu am y tro cynta. Mae'n broses hir a manwl. A dysgu gweithie opera newydd neu bido, ma'n beth da iawn i'r ymennydd i ddysgu unrhyw beth newydd mor amal â sy'n bosib.

Ro'n i wedi mynd o fod gytre am bythefnos yn unig i fod gytre am bron i ddwy flynedd. A na'th y ddwy flynedd 'na gytre i fi sylweddoli faint o'n i wedi ei golli wrth fod 'na am bythefnos yn unig. Gobitho na welwn ni unrhyw beth tebyg i Cofid eto, ond o'dd e'n beth da i ddod mas o'r cyfnod clo gan gofio bod ishe edrych ar bethe'n wahanol ambell waith.

Tynnu llunie, garddio, ffowls, Twm. Da'th rhain i gyd i'n byd ni oherwydd newidiade a gafodd eu creu gan Cofid. Sdim iws i fi ddefnyddio'r term chi'n gyfarwydd â fi'n ei ddefnyddio yn y llyfr 'ma erbyn hyn, sef 'hollol wahanol', achos newidiodd Cofid bopeth i'r pwynt do'n ni ddim yn gwbod i beth ro'dd unrhyw beth arall yn wahanol yn diwedd! Ond ro'dd y pethe 'ma i gyd yn newydd yn ein byd newydd ni. Ro'dd pob un yn ei dro ac yn ei ffordd ei hunan wedi neud i fi sylweddoli go iawn bod mwy i fywyd nag opera. Ma fe wedi neud i fi werthfawrogi beth sydd 'da fi.

Cyngerdd Pontyberem, Dydd San Steffan gyda Hirohisa ac Akane.

Hirohisa ac Akane Tsuji nôl yn Rhiwlwyd, Nadolig 1992.

Bruno y ci, gyda Twm Coch y cwrci yng nghefn y fan 'da fi.

Fi yn browd iawn ar ôl rhedeg hanner marathon Caerdydd, 2015.

Rhedeg ras 10K Tenovus yng Ngardd Fotaneg Genedlaethol Cymru yn 2015.

Perfformio fel Arturo yn
Lucia di Lammermoor
(Donizetti) yn Holland Park.
Llun: Alex Brenner

Fy *debut* fel y Dancemaster
yn *Manon Lescaut* (Puccini),
Covent Garden (2016).

Chekalinsky, *Queen of Spades* gan Tchaikovsky yn Holland Park.
Llun: Robert Workman

Fi a Joseph Calleja yn ymarfer *Tosca*, Covent Garden.

Fi a Carole Wilson.

Flaminio yn
L'Amore dei tre re
(Montemezzi) yn
Holland Park.
Llun: Robert Workman

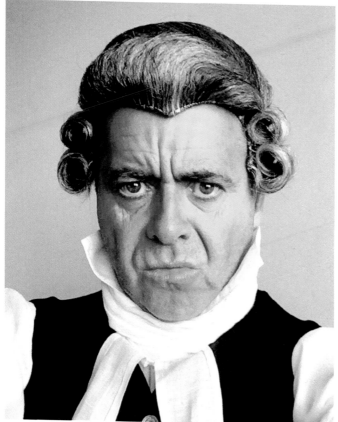

Abbé yn
Andrea Chénier
(Giordano),
Covent Garden.

Fi a Roberto Alagna ar ôl noson agoriadol *Andrea Chénier* (Giordano) yn Covent Garden.

Set anhygoel *Madame Butterfly* (Puccini) yn yr Albert Hall, Llundain.

Mam a Dad yn Covent Garden ar gyfer fy *debut*.

Fi ac Elen yn Malta.

Gaston yn *La Traviata* (Verdi) i Longborough Opera.
Llun: Matthew Williams-Ellis

Valzacchi yn *Der Rosenkavalier* (Strauss), Sweden.

Tri Tenor gwreiddiol: Rhys Meirion, fi ac Alun Rhys-Jenkins.

Tri Tenor newydd: Rhys Meirion, fi ac Aled Pentremawr.

Rhys, fi ac Aled ar sgwters yn mynd rownd Milwaukee.

Tri Tenor Cymru a Caradog Williams (Cyfeilydd) tu allan i adeilad y Metropolitan Opera, Efrog Newydd.

Tri Tenor a Caradog yn Chicago.

Dad yn falch o gyrraedd ei ben-blwydd yn 80, saith mlynedd wedi iddo oroesi liwcimia.

Dad a'i bartner gorau, Bob.

Yr efeilliaid (Daniel ac Elen) bellach yn eu hugeiniau cynnar.

Haul y nos drwy ffenest adfail hen fwthyn Glanteifi yn Nhrebedw.

Gwawr y bore yn Rhiwlwyd.

Haul y bore bach ar un o'r treshedi.

Twm yng Nghenarth.

Fi, Twm a Big Ben.

Opera Ensemble yn
Longborough.

Fi fel Beppe yn *Pagliacci* (Leoncavallo) gydag Opera Ensemble yn Iford Festival Opera.

Opera Ensemble yn Islington yn perfformio *Pagliacci*.

Fi fel Monostatos.

Yng nghanol
perfformiad fel
Monostatos yn *The
Magic Flute* (Mozart),
Dorset Opera.
Llun: Julian Guidera

Dr Caius yn *Falstaff* (Verdi) i Scottish Opera (Edinburgh Festival).

Fatsuit amdanaf i gymeriad Borsa yn *Rigoletto* (Verdi) i Scottish Opera.

Beadle Bamford, *Sweeney Todd* (Sondheim) i Gwmni Opera Cenedlaethol Cymru.
Llun: Johan Persson

Gaston yn *La Traviata* (Verdi) i English National Opera (ENO).

Borsa yn *Rigoletto* (Verdi) i Scottish Opera.

Yn fy ngwisg fel Spoletta yn *Tosca* (Puccini) i Covent Garden.

Yng nghanol perfformiad fel Pang yn *Turandot* (Puccini) yn Covent Garden.
Llun: Tristram Kenton

Y gole nôl mla'n

NAWR BO NI'N rhydd o'r holl gyfnode clo, a gwaith wedi dychwelyd unweth 'to, fi'n ishte nôl lot mwy er mwyn pwyso a mesur a odw i ishe derbyn unrhyw waith penodol sy'n ca'l ei gynnig i fi. Dwi'n lot mwy gofalus yn y ffordd fi'n dewis beth ddylen i neud a beth ddylen i beidio neud. I fan'na fi wedi dod erbyn hyn. Ond cyn dod i'r fath ffordd o feddwl, teimlade a meddylie gwahanol iawn o'dd yn mynd rownd a rownd yn fy mhen i wrth ystyried y posibilrwydd o fentro nôl i berfformio unweth 'to.

Dachreues i feddwl a o'n i ishe cario mla'n i ganu neu beidio. O'dd, ro'dd y meddylu mor blwmp ac mor blaen â hynny. Ond nid codi un dwrnod a meddwl fel'na 'nes i, o na. Ro'dd yn ffordd o feddwl a wna'th dyfu a thyfu dros amser a dachre cymryd drosodd fel chwyn yn yr ardd. Sai wedi meddwl fel'na erio'd o'r bla'n. Nid un fel'na odw i. Ond ro'dd colli pob gwaith o'dd 'da fi mewn wincad wedi shiglo fi, sdim dowt, a gyda'r siglad, fe dda'th yr amheuon. Ac fe dda'th yr amheuon â ffrindie 'da nhw hefyd. Ansicrwydd ac ofan. Beth petai rhyw bandemic arall yn digwydd yn y dyfodol rhywbryd, Cofid eto falle, neu rwbeth cwbwl newydd, a bod hwnnw'n dwyn popeth oddi wrtha i 'to? Ro'n i'n ame'n fowr a allen i ddelio 'da'r fath sefyllfa am yr eilwaith. Y canlyniad i'r meddylie 'ma i gyd o'dd i fi ddachre meddwl a ddylen i whilo am waith mwy sefydlog, y bydde llai o effeth arno petai yna sefyllfa debyg i Cofid eto. Ma sawl un o'n ffrindie i, yn gantorion, wedi gadel y busnes, dy'n nhw ddim wedi ailddachre ar ôl y cyfnod clo am yr union reswm 'ma.

Ac ofan arall gododd ei ben hefyd o'dd hyd yn o'd petawn i'n dewis ailddachre, allen i fod yn siŵr y bydden i'n dal i fwynhau'r gwaith fel o'n i yn ei neud cyn Cofid? Falle bod pethe wedi newid. A wedyn, ar ben hynny 'to, petawn i yn ei fwynhau, a fydden i'n dal yn ddigon da, yn gallu perfformio i'r un safon ag o'n i cynt? Ac nid ffordd o feddwl gwag o'dd hynny o gwbwl. Nawr bod y theatrau wedi ailagor, ma mwy nag un esiampl o gantorion sydd wedi penderfynu ailgydio yn eu perfformio yn methu delio 'da bod nôl ar lwyfan ac yn methu canu fel y dylen nhw. Ma rhai wedi dewis darne tu fas i'w gallu, am eu bod nhw am dderbyn beth bynnag o'dd yn ca'l ei gynnig iddyn nhw er mwyn gallu bod nôl yn gwitho. Neu ma rhai eraill sydd ddim wedi gallu delio gyda chynhyrchiad dwy awr ar ôl peidio perfformio am gyfnod mor hir. O'dd un esiampl o hwnna yn Covent Garden o bob man. Ro'dd un canwr, digon adnabyddus, wedi ffaelu cario mla'n 'da'i berfformiad yn ystod sioe, a bu'n rhaid hala'i *cover* (neu yr *understudy*) i'r llwyfan yn ei le. Ma hwnna'n gweud cryn dipyn!

Ma ofne ac amheuon fel y rhai 'nes i eu profi yn gallu bod yn rhai digon dinistriol. Ma'n nhw'n ymosod ar yr hyder ac yn neud i chi gwestiynu'r ddawn chi'n gwbod sy 'da chi. Ro'dd yn amlwg bod ishe delio 'da nhw. Rhyfedd meddwl bod y meddylie 'na mor, mor wahanol i'r ofne gododd yn ystod fy nghyfnod clo personol i, y deg dwrnod 'na yn Ninbych-y-pysgod, pan golles i'n llais. Canu o'dd fy myd i. Cododd ofne mowr bod y byd 'na ar ben, bod yr unig beth ro'n i'n gallu neud wedi diflannu a bod dim byd arall mas 'na. Ond nawr do'n i ddim yn siŵr os o'n i ishe camu nôl i'r byd 'na o gwbwl pan ddele fe nôl. Fe gymrodd beth amser i witho popeth mas, ond fe ddes i rownd yn diwedd a phenderfynu y bydden i yn mynd nôl ar lwyfan.

Ond nid nôl i'r Albert Hall neu Covent Garden es i, dim byd tebyg! Wrth i 2020 fynd yn ei bla'n, da'th criw o'n ni at ein gilydd i weld beth allen ni neud o fewn cyfyngiade Cofid. A o'dd modd creu perfformiade o dan y fath amode? Ro'dd y saith ohonon ni'n credu y gallen ni a ro'n ni'n awyddus i ddod at ein gilydd i witho mas siwd o'dd neud hynny. Ro'n ni ishe dangos bod modd neud rhwbeth alle gynnig adloniant i bobol yn ystod y pandemig a bydde hefyd yn ffordd i ni ddal ati i ganu. Na'th y saith ohonon ni greu grŵp o'r enw Opera Ensemble; pump canwr, yr arweinydd a'r cynhyrchydd. Ro'n ni gyd wedi gwitho 'da'n gilydd ar hyd y blynydde a ro'n ni gyd yn barod iawn i fentro rhoi opera at ei gilydd mewn amser byr iawn dan amode cwbwl anarferol. Ro'dd e fel ca'l celfi newydd *flat-pack* – ro'dd y bocs yn cyrraedd ar fore'r dwrnod cynta gwrddon ni, a ninne i gyd yn bwrw ati wedyn i roi'r darne at ei gilydd, ond heb allwedd Allen!

Gethon ni afel ar eglwys yn Islington, Llunden, o'dd yn fodlon mentro gyda ni a chynnal opera i nifer gyfyngedig o bobol. Arbrawf o'dd hwn i ni gyd, ma'n rhaid gweud. Da'th y saith o'n ni at ein gilydd dwrnod cyn y perfformiad yn yr hydref i ddachre creu'r cynhyrchiad. Penderfynon ni greu yr opera *Pagliacci*, sef 'clownied' yn Eidaleg. Dim ond pump cymeriad sydd yn yr opera a dim ond hanner can munud ma hi'n para. Ro'dd hi'n un amlwg i neud felly am sawl rheswm.

Ond ro'dd rhoi'r cynhyrchiad at ei gilydd yn dipyn o her! Ro'dd rhaid neud yn siŵr bod dim un ohonon ni o fewn dou fetr i'n gilydd ar y llwyfan ar unrhyw adeg. Do'dd neb fod i wynebu rhywun arall tra eu bod nhw'n canu chwaith. Do'dd dim un ohonon ni'n gallu mynd oddi ar y llwyfan yn ystod y cynhyrchiad, er mwyn osgoi mynd a dod tu cefn i'r llwyfan. Do'dd dim hawl 'da ni i ddefnyddio props bydden ni'n paso o un cymeriad i un arall. Hanner cant o'dd yn ca'l bod yn y gynulleidfa, a phob un wedi pellhau o'i gilydd yn ôl y rheolau. Ro'dd y gynulleidfa'n mynd mewn a mas trwy un drws a ni'n defnyddio drws arall a do'n ni ddim yn ca'l cymysgu 'da'r gynulleidfa o gwbwl. Ro'dd yn ddisgybleth gwbwl newydd i ni a mor wahanol i'r deinamic arferol ar lwyfan. Ni'n agos iawn at ein gilydd yn amal mewn opera, ac yn dibynnu ar wynebu'n gilydd wrth gyfathrebu a gweud y stori. Ond dim tro 'ma!

Cymron ni ddwrnod i roi'r cynhyrchiad at ei gilydd a'r dwrnod ar ôl 'ny o'dd dwrnod y perfformiad – er, ro'dd y paratoi'n dal i fynd mla'n ar yr ail ddwrnod wrth gwrs! Gwerthodd y tocynne'n syth. Do'dd fawr ddim o set ar y llwyfan. Ro'dd yn rhaid i ni ddefnyddio'r dychymyg a dibynnu ar y canu a'r actio i weud y stori. Fe lwyddon ni i ddod i ben â hi a diolch byth, geson ni dderbyniad gwych gan y gynulleidfa.

Ma'n rhaid i fi weud, ma honna'n un o'r perfformiade a fydd yn aros yn y cof am byth, a hynny am sawl rheswm. I ddachre, ro'dd yn brofiad emosiynol i berfformio'n fyw o fla'n cynulleidfa mor werthfawrogol. Fi wedi esbonio taw camau anodd iawn o'dd y rheini na'th fy arwain i nôl i'r llwyfan ar ôl Cofid. Ro'dd y wefr o berfformio eto yn cadarnhau i fi neud y penderfyniad iawn. 'Na chi reswm itha pwysig!

Rhan fowr o hynny o'dd yr union amgylchiade ro'dd yn rhaid i ni eu creu oherwydd y cyfyngiade. Gan nad o'n ni'n mynd bant o'r llwyfan o gwbwl yn ystod yr opera, ro'n ni'n gallu gweld y gynulleidfa o ble ro'n ni'n ishte ar y llwyfan, pan o'n ni ddim yn canu. Ro'dd hwnna'n brofiad anhygoel. 'Na le o'n ni, yn edrych mas ar y bobol ac yn gallu eu gweld nhw'n chwerthin, eu gweld nhw yn eu dagre. Galla i weud wrthoch chi, ro'dd e'n dipyn o ymdrech i reoli'r teimlade dda'th yn ymateb i weld hynny a chymryd fy lle ar y llwyfan i ganu unweth 'to.

Ac ar ddiwedd y sioe, wel 'na beth o'dd cymeradwyeth! Ro'dd e mor wresog a brwdfrydig!

Gallech chi feddwl taw pum mil yr Albert Hall o'dd 'na, nid hanner cant mewn eglwys yn Islington! Ar ben hynny, cafon ni adolygiade da yn y wasg hefyd, a sawl newyddiadurwr opera yn awgrymu'n itha cryf wrth y cwmnïe opera mowr y dylen nhw ddilyn ein hesiampl ni, gan ein bod ni wedi dangos yn llwyddiannus iawn ei bod hi'n bosib i gynnal sioe dan gyfyngiade llym y pandemig.

Ar ôl y fath deimlade, ro'dd y cyfnod yn syth ar ôl diwedd y sioe yn anodd iawn i fi. Fi'n dwli mynd mewn i ganol y gynulleidfa a cha'l sgwrs 'da pawb a ma'n nhw'n lico bo fi'n neud 'na. Ond do'dd dim un ffordd yn y byd gallen ni neud 'na ar ddiwedd *Pagliacci*. Teimlad itha fflat o'dd hwnna i fi. Ond, o leia o'n i'n gallu gadel yr eglwys ar ddiwedd y nos â theimlad hyfryd yndda i nad o'n i am droi cefen ar berfformio a chan wbod bo fi'n dal i allu neud e a'i fwynhau e! 'Na'r rheswm mwya pam 'na'i byth anghofio'r opera 'na o fla'n hanner cant mewn eglwys yng Ngogledd Llunden.

Wedi'r fath ymateb, do'dd e'n fawr ddim syndod bod yr enw Opera Ensemble wedi mynd ar led. Da'th pobol i glywed bod modd meddwl tu fas i'r bocs a dod o hyd i atebion creadigol i'r sefyllfa ro'n ni'n ei hwynebu yn y byd opera. O ganlyniad, da'th gwahoddiade gan ddou gwmni arall wedyn, i ni berfformio iddyn nhw. Ethon ni i Longborough ac i'r Grange yn Arlesford, De Lloegr, y Nadolig canlynol. Ro'dd y cyfyngiade wedi ysgafnhau rhywfaint erbyn hynny a ro'n ni'n gallu perfformio i theatr o'dd yn hanner llawn. Ro'dd hynny'n grêt wrth gwrs, ond ma fe'n dal yn anodd i berfformiwr i edrych mas a gweld cyment o seddi gwag mewn theatr mor fowr. Chi'n dygymod â fe, ma'n rhaid i chi, ond chi'n ymwybodol nad yw'r lle'n llawn. Ro'dd ateb arbennig 'da'r Grange. Nethon nhw fynd ati i neud *cardboard cutouts* o bobol o'dd wedi bod yn rhan o'u cynyrchiade nhw ar hyd y blynydde a rhoi'r cymeriade cardbord 'ma yn y seddi gwag! Pan ro'dd y gole lawr dros y gynulleidfa wedyn, ro'dd y lle'n edrych yn llawn! Ateb gwych!

Yr haf canlynol, cafon ni wahoddiad i fynd â'r cynhyrchiad i Iford Arts Festival, ddim yn bell o Stratford-upon-Avon. A wedyn ar ôl hwnna, cysylltodd Scottish Opera i weud bo nhw'n meddwl neud yr un fath o beth gydag opera arall, *Falstaff*. Gofynnon nhw i fi fod yn rhan o'u cynhyrchiad nhw. Eu bwriad o'dd perfformio eu cynhyrchiad yn y maes parcio drws nesa i stafelloedd ymarfer Scottish Opera yn Glasgow. Nethon nhw roi marcî mowr ar y maes parcio. Erbyn hynny, ro'dd hawl 'da ni ga'l rhyw ddou gant a hanner yn y gynulleidfa, eto gyda'r pellhau cymdeithasol angenrheidiol. Ond ro'dd y cynhyrchiad ei hunan yn un llawn, a'r cynhyrchydd, yr enwog Syr David McVicar, wedi ca'l gwisgoedd newydd i'r sioe hyd yn o'd. Hwnna o'dd y cynhyrchiad go iawn cynta i fi ers dachre Cofid. A braf o'dd ei ga'l e!

Tra ro'n i yn Glasgow, ro'dd Scottish Opera wedi bod yn trafod 'da Gŵyl Caeredin i weld a fydden nhw'n awyddus i gymryd y cynhyrchiad. Ac ar ôl sbel, da'th yr ateb – ro'n nhw ishe ni! Ein perfformiad ni o *Falstaff* o'dd y sioe gynta yn theatr Gŵyl Caeredin wedi iddyn nhw ailagor yn 2021, ar ôl bod ynghau am ryw ddwy flynedd. Nethon ni rhyw bedwar perfformiad i gyd. Teimlad digon balch i fi o'dd hwnna, gan mai dyna'r tro cynta erio'd i fi berfformio yng ngŵyl fyd-enwog Caeredin.

Ro'dd pethe'n dachre gwella! O leia i fi lwyddo i berfformio mewn theatr go iawn erbyn haf 2021, pan nad o'dd 'na ddim unrhyw argo'l y bydde hynny'n gallu digwydd yn haf 2020. Falle nad o'n nhw'n theatrau llawn ond ro'dd y cyfan yn gamau bach i'r cyfeiriad iawn. Magu hyder. Ailddachre canu. A gweld bod newid patrwm bywyd yn gallu bod yn gyfle i feddwl mewn ffordd newydd. Ro'dd y mentro 'na i Islington yn werthfawr tu hwnt.

Erbyn mis Hydref 2021, ro'dd Covent Garden wedi dod nôl ata i – diolch byth! – a dachre holi a allen i fod yn rhan o gynhyrchiad *Tosca* ar ddachre 2022. Hwnnw fydde'r cynhyrchiad cynta yn yr Opera House a fydde'n ca'l bod yn llawn. Cymrodd e o Hydref 2021 tan Ionawr 2022 i bethe ddod nôl i'r patrwm arferol ro'n i'n gyfarwydd ag e.

Tosca a Twm

RO'DD YR ALWAD ffôn 'na o Covent Garden yn un bleserus tu hwnt, galla i weud wrthoch chi, dim ware. Ar ôl colli cyment o waith 'da nhw, ma wastad yr amheuaeth 'na yng nghefen y pen, a fyddan nhw'n dod nôl ata i eto, neu a fyddan nhw'n troi at rywun arall a 'na 'nghyfle i wedi wthu i'r pedwar gwynt. *Tosca* o'dd un o'r operâu 'nes i golli pan gafodd y gwaith i gyd ei ganslo. Ond, rhyfedd fel 'ma pethe'n gallu troi mas. Ro'dd ca'l neud *Tosca* yn 2022 yn golygu bo fi wedyn yn gallu rhannu llwyfan gydag un o siwperstars mwya'r byd opera, Angela Gheorghiu. Dros y blynydde, ma beirniaid ac arbenigwyr opera wedi gweud taw hi yw un o'r sopranos gore fuodd erio'd. Ac ar ben hynny, ro'dd y cynhyrchiad yn rhan o ddathlu deng mlynedd ar hugen Angela gyda'r Tŷ Opera Brenhinol. Ro'dd yn un o ddigwyddiade mowr y calendr opera am y ddou reswm 'na.

Hi o'dd Tosca yn y cynhyrchiad 'ma, cynhyrchiad o'dd wedi ca'l ei greu yn benodol ar ei chyfer hi. 'Nes i'r sioe gyda hi rhyw bum mlynedd ynghynt, a ro'n i mor falch bo nhw wedi gofyn i fi ddod nôl i neud e eto.

Ro'n i fod i neud y sioe yn Malta hefyd, yn haf 2021, ond cafodd hwnnw ei ganslo oherwydd Cofid, a'r holl strach fydde wedi bod 'da brechiade a phasborts ac ati. Ond wrth i 2022 ddachre, ro'dd e'n mynd i ddigwydd o'r diwedd, a do'dd dim 'ond' tro 'ma! Nethon ni bump perfformiad a phob noson yn orlawn. Ro'dd hwnna'n deimlad arbennig ynddo ei hunan! Ro'n i nôl o fla'n miloedd eto – a dim un ohonyn nhw wedi neud o gardbord!

Ma'n anodd disgrifio siwd beth yw e i rannu llwyfan 'da rhywun fel Angela Gheorghiu. Ma unrhyw air 'na'i ddefnyddio yn mynd i swno'n annigonol. Dyw anhygoel, arbennig ac ati ddim yn ddigon. Ma'r X Ffactor 'da hi, ma hwnna'n bendant. Ond falle taw'r stori sy'n dangos edmygedd pobol ohoni ore yw'r hyn ddigwyddodd yn ystod y dair sioe gynta i fi berfformio 'da hi. Fe gerddodd hi ar y llwyfan ar gyfer ei hymddangosiad cynta yn ystod y cynyrchiade unigol 'na a chyn iddi allu canu un nodyn ro'dd pawb ar eu tra'd yn ei chymeradwyo! Sdim ishe gweud mwy! Do'n i eriod wedi gweld y fath beth a ro'n i'n sefyll 'na ar ei phwys hi ddim yn gallu credu beth ro'n i'n ei weld. Dwi wedi ei weld e sawl gwaith ers hynny. Dyw'r fath beth ddim yn digwydd yn amal iawn, galla i weud wrthoch chi.

Tra ro'n i'n neud *Tosca*, da'th y bós yn Covent Garden ata i a gofyn a fydden i'n fodlon aros mla'n ar ôl i *Tosca* benni er mwyn bod yn rhan o gynhyrchiad nesa'r Tŷ Opera, sef *Peter Grimes*, un o weithie Benjamin Britten. Perfformiwyd y cynhyrchiad yn Sbaen cwpwl o flynydde ynghynt ac wedyn daeth y gwahoddiad i ddod i Covent Garden. Ro'dd y rôl o'n i fod i ware yn *Peter Grimes* yn un gwbwl newydd i fi. Felly ro'dd gofyn bwrw ati i ddysgu'r geirie a'r gerddoriaeth ac i witho ar y cymeriadu am y tro cynta erioed. A hyn wrth gwrs, tra ro'n i'n perfformio mewn opera arall. Ma hwnna'n itha heriol, yn enwedig o styried nad yw gwaith Britten yn rhwydd i'w ddysgu na'i berfformio o gwbwl.

Gan fod perfformio *Tosca* a dysgu *Peter Grimes* yn cydredeg, ro'dd yr hen batrwm o ffili mynd gytre yn dachre codi'i ben 'to! Ond do'dd dim ffordd i newid y drefen tro 'ma. Y cwbwl gallen i neud o'dd dal trên nôl gytre am ryw ddou ddwrnod fan hyn a fan 'co pan o'n i'n gallu, os nad o'dd ishe fi ar gyfer ymarferion. Ond, wedi gweud 'na, ro'dd 'na un ffordd i gytre ddod ata i! Yn ystod ymarferion *Tosca*, da'th Elen lan i aros 'da fi yn Llunden – a dod â Twm y ci bach gyda hi! Ro'dd Twm wedi dwli! Na'th e ddim cyffro ar y daith drên bedair awr. Ac unweth ro'dd e yn Llunden, ro'dd e fel y boi! Ac wrth gwrs, ro'dd y cast i gyd wedi dwli arno fe ac fe gafodd e ei sbwylio'n rhacs. Felly, ma Twm wedi ca'l ei brofiad opera cynta!

Ro'n i ynghlwm â'r ddwy opera 'na am ryw bedwar mis, reit ar ddachre 2022. 'Nes i bwynt wedyn o ddewis bod gytre am damed bach, a pheidio â mynd nôl i fy ffordd o witho yn 2019 pan fuais i ond gytre am bythefnos. A'r tro 'ma wrth gwrs, ro'dd ysgol brofiad y cyfnod clo wedi dysgu fi siwd i ga'l y gore mas o gyfnode hir gytre, ar ben bod nôl 'da'r teulu.

Ar ôl rhywfaint o amser, da'th cyfle wedyn i'r Tri Tenor ailgydio ynddi. Rhai blynydde yn ôl, nethon ni gyngerdd yng nghartre'r boi sydd berchen ar gwmni bwydydd wedi rhewi Iceland, Malcolm Walker. Ro'dd e wedi trefnu digwyddiad cymdeithasol crand yn ei dŷ yn Swydd Gaer, ac fe a'th y tri ohonon ni 'na i ganu iddo fe.

Wel, yn anffodus, yn ystod y cyfnod clo, buodd ei wraig, Rhianydd, farw. Ro'dd ei theulu hi yn dod o ochre Caerfyrddin. Ro'dd hi'n ddylanwad mowr ar ei gŵr ac ar y busnes. Hi na'th feddwl am yr enw Iceland er enghraifft! Fe fuodd hi'n gwitho i'r cwmni o'r dachre'n deg yn 1970. Ond yn anffodus da'th yn amlwg bod dementia arni rai blynydde'n ôl. Na'th hi ddachre Sefydliad Elusennol Iceland sydd wedi bod yn rhoi cefnogeth ariannol i ymchwil dementia ers blynydde.

Ro'dd Malcolm Walker ishe trefnu prynhawn o adloniant er cof am ei wraig. Ro'dd y ddou wedi bod yn ffrindie ers dyddie ysgol a phan y buodd hi farw, ro'n nhw'n nabod ei gilydd ers dros hanner can mlynedd. Wrth fynd ati i drefnu'r gyngerdd, fe gofiodd e am y tro cynta na'th Y Tri Tenor ganu iddo fe. Da'th e i ofyn wedyn allen ni ganu ar yr achlysur arbennig 'ma, gan nodi mor bwysig o'dd ca'l Cymry yn darparu yr adloniant. Yn anffodus, do'dd Rhys ddim yn gallu dod tro 'ma. Pan ma 'na yn digwydd, fel wedes i'n gynharach, ma'r un sydd ffili dod yn deall yn iawn os yw'r ddou arall yn mynd beth bynnag. A fel'na buodd hi. A'th Aled a fi lan i Swydd Gaer i ganu yn y digwyddiad.

Ro'dd Malcolm wedi gosod marcî mowr mas ar y tir, a ro'dd rhyw ddou gant o bobol yn ca'l pryd o fwyd yn hwnnw. Ro'dd e wedi paratoi lle i ni'n dou ganu ar bwys y marcî. Ganon ni am ryw hanner awr i gyd, ma'n siŵr, y caneuon poblogaidd amlwg fydde'n diddanu'r gynulleidfa o'dd 'da' ni – caneuon fydde'n rhoi cyfle i bobol ganu gyda ni! Ar ôl i ni benni, ro'dd hi'n dân gwyllt – yn llythrennol! 'Na beth o'dd sioe tân gwyllt anghredadwy, yng nghanol prynhawn!

Ro'dd yr achlysur yn un o'dd yn werth bod yn rhan ohono, er mwyn gweld siwd ma pobol eraill yn byw! Ma'n rhaid gweud bod Malcolm Walker yn foi dymunol dros ben. A nethon ni fwynhau ei gwmni pan ro'dd e 'da ni. Ond falle taw'r peth mwya arbennig o'dd ca'l digwyddiad arall, yn enw'r Tri Tenor o leia. Ro'dd yn hyfryd i weld Aled eto, a ninne heb weld ein gilydd ers cyn y cyfnod clo. Fe nethon ni ailgydio mewn canu 'da'n gilydd fel 'sen ni ond wedi ca'l dwrnod ne ddou o seibiant. A ro'dd hwnna'n arwydd arall bod pethe'n dachre dod nôl i drefen, bod y cyfarwydd yn dachre ailymddangos unweth eto.

Teimlad arbennig yw ca'l gwitho gyda chwmni dwi heb witho gyda nhw o'r bla'n, yn enwedig os taw nhw sydd wedi gofyn amdana i, a hynny heb glyweliad. 'Na beth ddigwyddodd yn yr haf 'da cwmni Dorset Opera. Ma lot o'r cantorion sydd gyda fy asiant wedi gwitho iddyn nhw o'r bla'n ond ro'n i heb wneud hynny. Ro'dd bós y cwmni, Rod Kennedy, wedi fy nghlywed i'n canu yn rhywle ac wedi penderfynu gofyn i Chris, fy asiant, a fydde diddordeb 'da fi ganu yn un o'u cynyrchiade nhw. Fel wedes i, ma hwnna'n deimlad braf iawn! Da'th y cais wedyn i fi fynd lawr 'na i gymryd rhan yn *The Magic Flute*.

Ma cynyrchiade Dorset Opera yn digwydd mewn ysgol fonedd fowr grand yn Bryanston. Mae theatr yn yr ysgol gyda digon o le i chwe chant o bobol! Ie, mewn ysgol cofiwch! Ac ar ben hynny, ma'u cynyrchiade nhw yn debyg i rhyw fath o gwrs, neu wersi i rai sydd am ddatblygu eu crefft opera. O ganlyniad, ma pobol yn talu i fod yng nghorws eu cynyrchiade nhw. Ma disgyblion yr ysgol yn ca'l cyfle i gymryd rhan yn y perfformiade hefyd.

Ysgol yw hi sy'n arbenigo ym meysydd chwaraeon a cherddoriaeth. Ma'n nhw wedi bod yn perfformio operâu yn yr ysgol ers y saithdege. A ma 'na sawl arweinydd enwog wedi ca'l ei addysg yn yr ysgol 'ma, ac yn eu plith Syr Mark Elder, un o'r arweinyddion opera mwya blaenllaw ym Mhrydain. A fe o'dd yn arwen y cynhyrchiad o *Peter Grimes* ro'n i'n rhan ohono yn Covent Garden. Dwi hefyd wedi recordio gwaith gydag e i gwmni Opera Rara. Ac yn wir, ma 'na neuadd gerdd yn yr ysgol sydd wedi cael ei henwi ar ei ôl.

Ro'dd e'n braf ca'l perfformio *The Magic Flute* 'to. 'Na'r opera gynta i fi neud 'da Scottish Opera a ro'dd hwnna sawl blwyddyn yn ôl. 'Nes i'r un opera gyda Chwmni Opera Cenedlaethol Cymru hefyd. Ond erbyn cyrraedd Dorset, ro'n i heb neud *The Magic Flute* ers rhyw ddeunaw mlynedd ma'n siŵr. Ond ro'dd gofyn ailddysgu'r rhan yn gyfangwbwl. Ro'dd gormod o amser wedi mynd hibo ers i fi ei pherfformio ddiwetha. Ar ben hynny, ro'dd y cynhyrchiad 'nes i yn seiliedig ar gyfieithiad cwbl newydd o'r opera. Nid mater o ddysgu geirie newydd o'dd hi wedyn, ond mater o anghofio'r hen eirie Saesneg a dysgu'r geirie Saesneg newydd. Ma hwnna'n dipyn o job achos ma'r geirie Saesneg gwreiddiol yn dueddol o ddod nôl yn reddfol i'r cof. Ma lot o'r cwmnïe llai yn defnyddio'r cyfieithiade Saesneg yn eu cynyrchiade ond do's dim dal pa gyfieithiad ma'n nhw'n ei ddefnyddio. Ma hwnna'n gallu bod yn ben tost wedyn, achos chi'n meddwl bo chi'n gwbod y geirie, ond geirie cyfieithiad arall chi wedi ddysgu!

Yn bersonol, ma wastad well 'da fi ganu opera yn yr iaith wreiddiol, nid wedi ei chyfieithu i'r Saesneg. Yn yr iaith wreiddiol gath y gwaith ei sgrifennu, felly na'r iaith ore i'w pherfformio. Dwi'n deall y ddadl bod pawb yn deall y stori yn Saesneg, ac yn Saesneg ma pob cynhyrchiad ma Cwmni Opera Cenedlaethol Lloegr yn ei wneud, er enghraifft, a fel'na ma hi wedi bod erio'd 'da nhw. Ond dyw e ddim fel 'se pobol sy'n dod i weld operâu mewn Eidaleg, Ffrangeg, Sbaeneg, Rwseg, Tsiec, neu ba bynnag iaith arall byddwn ni'n ei chanu, ddim yn gwbod beth sy'n mynd mla'n!

Yn *The Magic Flute*, ma lot o ddeialog rhwng y caneuon. Ma'r deialog 'na yn gyfle wedyn i sawl cynhyrchydd i addasu'r geirie fel ma'n nhw'n gweld. Ma rhai'n neud y ddeialog yn fwy modern a pherthnasol i heddi. Ma hwnna'n itha diddorol i ni fel cantorion. Ma lot o'r ddeialog yn ddiangen a falle'n dod o gyfnod pan ro'dd pobol yn gyfarwydd ag ishte am orie'n gwrando ar opera mewn ffordd sydd ddim yn berthnasol mwyach. Yn y cynhyrchiad gyda Dorset Opera, ro'dd pob cymeriad yn rhan o syrcas deithiol. Y cymeriad o'n i'n chware o'dd Monostatos, 'the knife thrower'. Ond o'n i ddim yn rhy dda ar y job a gweud y gwir, achos un llygad o'dd gyda'r cymeriad, ac felly o'n i'n gwisgo patsyn dros un llygad, ac o'r herwydd o'n i byth yn bwrw'r targed! A rhaid i fi gyfadde, ges i lot fawr o fwynhad yn chware'r cymeriad – lot fawr o sbri!

Ar y pwynt 'ma am ddysgu geirie, ma'n werth cymryd saib fach i sôn mwy am y ffaith bo ni'n gorfod canu operâu mewn sawl gwahanol iaith. Ni'n ca'l ein dysgu siwd ma neud hynny yn y coleg wrth gwrs. Ma fe'n rhan o'n hyfforddiant ni. Ma'n gorfod bod. Ma operâu'n gallu bod yn unrhyw un o'r ieithoedd 'nes i nodi gynne. Ma pob un yn ieithoedd cwbwl wahanol i'w gilydd a ma gofyn deall digon i allu weud stori yn yr iethoedd hynny a gallu cymeriadu'n iawn hefyd.

Ma wastad hyfforddwyr iaith 'da ni ar bob cynhyrchiad, a ma'n nhw'n helpu ni i ddeall ac i ynganu. Ar ben hwnna i gyd, ni'n lwcus iawn fel Cymry bod y swne gwahanol i gyd gyda ni'n naturiol, ta beth. Fydda i byth yn ca'l trwbwl gydag unrhyw sŵn ma geirie'n neud mewn ieitho'dd eraill achos bod y sŵn 'na 'da fi'n barod fel rhywun sy'n siarad Cwmrâg. Ma'r hyfforddwyr iaith i gyd yn gweud hynny wrtha i, bo nhw byth yn ca'l trafferth ca'l fi i weud rhyw eirie dierth. Mwya gyd o *repertoire* chi'n neud, ma fe'n dod yn rhwyddach ac yn rhwyddach.

Mantes y system hyfforddwyr iaith yw bod modd mynd atyn nhw i ofyn am help gydag opera arbennig, hyd yn o'd os taw nid 'na'r opera chi'n gweithio arni ar y pryd. Ma hwnna'n drefniant adeiladol dros ben. Dwi'n amal yn cysylltu 'da'r hyfforddwyr iaith, ym mha bynnag iaith ma'r opera, ac yn gofyn iddyn nhw recordio'r rhan dw i'n chware. Ma'n nhw'n hala CD wedyn a fi'n gallu gwrando ar hwnna gytre a chlywed y rhan yn yr iaith iawn. Wrth wrando ar y CD, fi'n gallu bwrw ati i farco fy nghopi i o'r sgôr, a fi'n neud hynny yn gwmws fel ma'r geirie'n swno i fi yn Gwmrâg. Beth bynnag yw sŵn y gair yn yr iaith dan sylw, ma fe'n mynd lawr ar fy nghopi i yn y ffordd dwi'n credu fi'n ei glywed e yn Gwmrâg. Fi'n gallu sgrifennu sawl iaith wahanol yn Gwmrâg! Fi'n clywed e yn y gwreiddiol ond yn ei sgrifennu fe yn Gwmrâg. Ma'r ffordd 'na wedi gwitho'n dda iawn i fi ers degawde! Fel yn achos dysgu geirie heb gopi, do's dim esgus i beidio â dysgu'r iaith y mae unrhyw opera'n ca'l ei pherfformio ynddi. Diogi yw neud unrhyw beth ond hynny.

Ma pethe wedi dachre bwrw nôl go iawn o ran gwaith erbyn hyn, diolch byth. Ma gwaith 'da fi am gyfnod go dda nawr. Rhwng y gwaith dwi wedi ei dderbyn a'r gwaith sydd yn ca'l ei drafod ar hyn o bryd, ma pethe'n edrych yn dda tan ymhell mewn i 2024. Alla i ddim gweud wrthoch chi faint o ryddhad yw hwnna ar ôl colli popeth. Ond nid nôl i fel o'dd hi yw hi bellach. Un peth yw sylweddoli bod yn rhaid i fi newid patrwm gwaith er mwyn ca'l gwell cydbwysedd rhwng gwaith, teulu a bywyd, peth arall yw trio neud hynny pan ma'r gwaith yn dachre llifo nôl mewn. Ma gofyn arfer yr hyn chi wedi bod yn ei bregethu wedyn! Hyd yn hyn, ma'n rhaid gweud, fi wedi llwyddo ac wedi elwa o'r penderfyniad. Gobitho bydda i'n gallu para i gofio a chadw at y pethe da dda'th i 'mywyd i y blynydde diwetha ynghanol popeth arall.

Ysgwydd wrth ysgwydd

WEL, 'NA'R EDRYCH nôl wedi dod i ben. Edrych mla'n sydd nesa. Wrth bo fi'n benni sgrifennu hwn i gyd, ma'r cyfnod 'da cwmni opera Dorset yn cwpla. O'm bla'n i, ma cyfnod alle fod yn ddigon cyffrous, os nad yn llawn pethe gwahanol iawn i'w gilydd. O fod mewn opera ddigon traddodiadol fel *The Magic Flute*, ma un o'r rhai nesa bydda i'n ei neud yn dal i ga'l ei chyfansoddi, credwch neu bido! Ma Swansea City Opera – sy ddim byd i neud â dinas Abertawe, gyda llaw! – wedi comisynu gwaith newydd yn seiliedig ar fudiad sy'n ymwneud ag iechyd meddwl dynion. Dachreuodd menter Men's Sheds yn Awstralia, dwi'n credu, a ma fe i gyd ambwyti creu manne i ddynion allu cwrdda a rhannu teimlade, achos yn draddodiadol dyw dynion ddim yn arbennig o dda am rannu eu teimlade 'da'i gilydd na gweud beth sy'n eu poeni nhw. Od i feddwl i fi sôn am yr union bwynt 'na wrth drafod tostrwydd Dad a marwoleth fy nghefnder a fy wncwl. Nawr dw i mewn opera sy'n delio 'da'r union heriau o ran diffyg trafod problemau ma dynion yn eu hwynebu. Ma'r opera newydd yn sôn am y fath o waith ma Men's Sheds yn ei neud gyda dynion sy'n mynd trwy'r un fath o deimlade ac emosiyne ag Euros a John, a Dad hefyd ma'n siŵr, ond mewn ffordd wahanol.

Shoulder to Shoulder yw enw'r gwaith. Fi'n hoffi'r teitl 'na, achos ei fod e'n awgrymu delwedd ddigon traddodiadol o gysylltiad dynion â'i gilydd, sef yr ysgwydd yn erbyn yr olwyn, yr ysgwydde dan y bêls, yr ysgwydde 'da'i gilydd dan ddaear, ysgwydde'r blaenwyr rygbi yn y sgrym, ond yn cyfeirio mewn gwirionedd at deimlade a chynnal eich gilydd yn emosiynol, nid mewn sefyllfa waith. Ma lot o grwpiau gan y mudiad yng Nghymru erbyn hyn. Sda fi ddim syniad beth i ddisgwl o'r gwaith 'ma, ond ma'r holl syniad o droi eu gwaith yn opera yn un cyffrous, perthnasol a chyfoes dros ben. Ac yn gwbwl annisgwyl!

Ond cyn bod hwnna'n digwydd, bydda i nôl gyda'r cyfarwydd a'r traddodiadol. Am y tro cynta ers sbel fowr, bydd modd mynd i'r Steddfod! Do's dim opera haf i fi eleni, ac felly Tregaron amdani! 'Na beth fydd cyfle i ddala lan 'da pawb a thynnu sawl co's! Lwc owt!

Wedyn, o fan'na, nôl i Covent Garden i fod yn yr opera *Salome*. Falle bod honno'n stori draddodiadol gan ei bod yn seiliedig ar stori o'r Beibl, ond ma hi'n stori erotig sy'n cynnwys llofruddiaeth – Oscar Wilde sgrifennodd y libreto, gyda cherddorieth Richard

Strauss. Dyle hwnna fod yn sbri! Dwi heb wneud y gwaith 'na o'r bla'n, felly ma gofyn dysgu rhan newydd unweth 'to.

O fan'na mla'n 'na gyd alla i weud yw bod trafodaethe ar y gweill. Alla i ddim gweud wrthoch chi faint o ryddhad yw gallu hyd yn o'd styried hynny ar ôl hunllef y cyfnode clo. A ma hyd yn o'd sôn y bydda i'n mynd nôl i Siapan, gan bo fi wedi derbyn cynnig i berfformio yn *Turandot* yn Covent Garden flwyddyn nesa, ac ma'r cynhyrchiad 'na wedi ca'l gwahoddiad i fynd i Siapan hefyd. Gobeithio'n fowr bod lle i fi ar yr awyren! A phwy a ŵyr pa waith arall ddaw yn gwbwl annisgwyl, fel gwaith teledu a gwaith gyda'r Tri Tenor, er enghraifft.

Wrth edrych mla'n i'r dyfodol pell, 'na gyd alla i weud yw bo fi'n gobeithio y galla i bara i neud beth dw i'n neud nawr am ddegawde i ddod. Fe wna i barhau i ganu tra bod y diléit a'r mwynhad dal 'na. Ma 'na un boi dwi'n ei edmygu'n fowr yn y byd opera, a fe wnes i gwrdd ag e tra o'n i'n gweithio yn Covent Garden ar *Tosca* a *Peter Grimes*, a'i enw fe yw Graham Clark. Ma fe yn ei wythdege ac yn dal i berfformio ar y lefel ucha. Ma fe'n dewis yr operâu sy'n addas iddo fe ac yn gwrthod mestyn ei hunan y tu hwnt i'w allu naturiol. Dwi'n edmygu'r boi yn fawr iawn! Wrth feddwl am gario mla'n, fe sydd 'da fi mewn golwg!

Ond wedi rhoi syniad i chi o beth sydd i ddod, a siwd dwi'n gweld y dyfodol pell, alla i ddim help troi i edrych nôl unweth eto ar yr hyn sydd wedi bod. Ma'r holl broses 'ma o sgrifennu stori fy mywyd wedi bod yn fater o edrych nôl ar hyd y degawde a gweld siwd ma fy mywyd wedi siapo. Ma teimlade personol wedi cael eu procio a ma pwyntie mwy cyffredinol wedi codi hefyd. 'Na'i ddachre 'da un o'r rheini.

Ma un peth penodol wedi fy nharo i wrth styried beth fi newydd weud wrthoch chi hyd yn hyn yn y stori 'ma. Dwi wedi sôn lot am y fath o lefydd dwi wedi bod yn perfformio ynddyn nhw. Covent Garden, Garsington, Y Grange, Dorset Opera, Longborough a hyd yn o'd tŷ y boi sydd bia' Iceland. Ma'r cyfan yn digwydd mewn tai bonedd, ysgolion preifat, theatrau urddasol a chartrefi moethus. Wrth ddarllen am y fath fanne, ma'n siŵr ei fod yn rhwydd i chi feddwl fod 'na lot o wirionedd i'r sylw bod opera yn rhwbeth elitaidd tu hwnt. Adloniant ar gyfer y crach yw opera mewn gwirionedd. Ma'r fath 'na o agwedd wedi ca'l hwb pellach yn ddiweddar gan sylwade'r Dirprwy Brif Weinidog ar y pryd, Dominic Raab. Cyhuddodd e Ddirprwy Arweinydd y Blaid Lafur, Angela Rayner, o fod yn yr opera pan ddyle hi fod yn cefnogi achos y gweithwyr mewn cyfnod o argyfwng costau byw. Beth bynnag yw'ch gwleidyddieth, ma'r fath sylw yn dangos agwedd amlwg lot o bobol at opera. Am hwnnw dwi ishe sôn.

Do's dim sylwedd i'r fath ffordd o feddwl mewn gwirionedd. Yn achos Angela Rayner, fe a'th hi i weld opera yn Glyndebourne. Talodd hi £65 i fynd i'w gweld. Chi'n gallu talu dwbwl hynny i fynd i weld un o gemau rygbi rhyngwladol Cymru – sydd i fod yn gêm y werin bobol! Rhagfarn yw lot o'r agwedd tuag at opera. Yn bersonol, dwi'n gallu gweld pam ma pobol yn credu bod opera yn elitaidd pan ma sôn am y fath o leoliade dwi wedi perfformio ynddyn nhw. Ond sai'n gweld unrhyw broblem gyda pherfformio mewn manne fel'na. Ma'r galw 'na. Ma lot o'r arian sy'n ca'l ei wario yn y fath fanne yn mynd nôl i gefnogi'r byd opera.

'Na pam dw i wrth fy modd gyda chynyrchiade Raymond Gubbay er enghraifft. Ma fe'n llenwi'r Albert Hall gyda degau o filoedd o bobol sydd ddim yn talu crocbrish am y profiad. Ma'r cynyrchiade o safon uchel tu hwnt, ond dyw prishe'r tocynne ddim. Mae wedi bod yn ddiléit mwya i fi i fod yn rhan o'i berfformiade fe am y rheswm yna, nid dim ond achos ei fod e'n gallu meddwl am syniade creadigol fel boddi llawr yr Albert Hall dan ddŵr!

Ac ma'n rhaid i'r byd opera ei hunan ymateb a symud mla'n. Ma'n wir gweud bod cyfartaledd oedran y gynulleidfa yn dueddol o fod yn bobol hŷn. Ma pob cwmni opera yn gwbod hynny ac yn sylweddoli bod yn rhaid apelio at genedlaethe ifancach, neu fydd dim dyfodol i opera. A do's dim amheueth bo nhw i gyd yn meddwl am siwd ma neud hynny, hyd yn o'd y cwmnïe mowr sydd wedi hen sefydlu.

A ma'n nhw'n neud 'na mewn sawl ffordd. Yn ariannol, ma cynigion o docynne rhatach i wahanol grwpie o bobol yn ddigon cyffredin erbyn hyn. Ma'r rhan fwya o operâu yn cynnwys is-deitlau yn ystod y perfformiade – neu a bod yn fanwl gywir, yr uwch-deitle, gan eu bod fel arfer uwchben y llwyfan

trwy gydol y perfformiad. Ma mwy a mwy o operâu
yn cynnwys perfformiade nawr sydd â phobol yn
dehongli'r perfformiade ar gyfer y rhai sy'n fyddar
neu'n drwm eu clyw. Ma'n rhaid i fi ga'l gweud
bod hwnna'n yffach o grefft! Un peth yw arwyddo'r
tywydd ar gyfer y rhai sydd ddim yn gallu clywed
y cyflwynydd, a phob parch iddyn nhw am hynny,
ond mater gwbwl wahanol yw dehongli a chyfleu
opera gyfan trwy un person yn neud arwyddion 'da'r
dwylo! Dwi'n edmygu'r rhai sy'n neud hynny'n fowr
iawn. Ma'r uwch-deitlau a'r dehongli i'r byddar yn
enghreifftiau clir iawn o siwd ma'r byd opera am
ehangu ei apêl i gynnwys mwy a mwy o bobol. Ma 'na
un ffordd gyffrous arall hefyd, un annisgwyl o bosib.

Un datblygiad diweddar dw i wrth fy modd 'da fe yw'r
addasiadau o operâu ar gyfer pobol sydd â dementia. Ma
sawl cwmni erbyn hyn yn addasu'r operâu poblogaidd
ar gyfer pobol sydd â'r fath gyflwr trwy eu torri lawr i
ryw awr o hyd. Dwi wedi neud sawl un o'r rhain. Ma'n
ffordd gwbwl newydd o ddysgu gwaith i ddachre. Ond
wrth berfformio'r fath waith ma'n cynnig her gwbwl
wahanol. Ma'n gallu cymryd sbel i ddod yn gyfarwydd
â'r ffaith bod rhai pobol yn y gynulleidfaoedd hynny yn
sefyll lan ynghanol perfformiad a neud rhyw sŵn neu'i
gilydd, neu ryw gleme, a'i fod e'n gallu ymddangos
fel petaen nhw ddim yn talu sylw i beth sy'n mynd
mla'n. Ond dyw e ddim yn iawn meddwl fel'na. Ma
gallu edrych i'w hwynebe nhw a gweld yr effeth ma'r
gerddorieth yn ga'l arnyn nhw yn beth arbennig iawn.
Ma'n amlwg bod y gerddorieth yn cyffwrdd â rhwbeth

dwfwn ynddyn nhw nad yw pethe eraill ddim yn ei gyffwrdd. Ma hwnnw wedyn yn cynnig rhyw fath o gysur, neu gysylltiad 'da rhwbeth perthnasol, neu'n cynnig rhyw foment o ddihangfa sydd yn eu help i ddelio 'da lle ma'n nhw. Dwi mor, mor falch bod y byd opera yn gallu cynnig hyn. A dwi'n sicr yn gwbod y bydde Rhianydd Walker, gwraig bós Iceland, wrth ei bodd 'da'r fath ddatblygiad a bydde hi wedi mwynhau, heb os, ac yn ei weld fel rhan bwysig o'r gwaith ro'dd hi wedi bod yn ei neud dros bobol o'dd â'r un cyflwr â hi.

Wrth ddod tua'r diwedd fel hyn, rhaid cymryd amser i feddwl dros beth dwi newydd neud wrth roi'r llyfr 'ma at ei gilydd. 'Na chi brofiad rhyfedd o'dd ishte lawr ac adrodd stori fy mywyd! Dw i'n hen gyfarwydd â gweud straeon cymeriade eraill ar lwyfanne ar draws y byd a gwisgo dillad crand i neud hynny hefyd! Ond ma gweud stori fy nghymeriad i fy hunan, yn fy nillad i fy hunan, yn gwbwl, gwbwl wahanol. Alla i ddim cwato y tu ôl i unrhyw wisg fan hyn! Ma fe wedi bod yn fater o droi at fyd arall, ac odi, ma fe wedi bod yn rhwbeth hollol wahanol! Do'dd dim problem cofio'r straeon unigol ar hyd y blynydde. Dim o gwbwl. Ma'r rheina wastad wedi bod 'na a sawl un wedi ca'l eu rhannu ar lafar o'r bla'n o bryd i'w gilydd – naill ai o lwyfan neu o ben ford mewn tafarn! Ond mater arall yw trial eu rhoi nhw mewn trefn a neud rhyw fath o synnwyr o'r cwbwl lot er mwyn eu rhoi nhw i lawr ar bapur mewn ffordd sy'n rhoi syniad itha clir i chi hefyd o bwy ydw i.

Ma fe wedi bod yn brofiad arbennig i edrych nôl dros beth dwi wedi ei neud yn fy ngyrfa opera, a rhestru'r cynyrchiade gwahanol dwi wedi bod yn rhan ohonyn nhw, a'r straeon ddaw nôl i'r cof wrth feddwl amdanyn nhw. A ma cyment o brofiade eraill yn fy mywyd hefyd oddi ar y llwyfan, o Motocross i fagu ffowls! Y broses o roi popeth lawr rhwng dou glawr sydd wedi neud i fi styried cyment dwi wedi gallu ei neud a chyment sydd 'da fi yn fy mywyd. Sai'n credu bydden i wedi styried hynny heb drio rhoi rhyw fath o drefen ar bethe. 'Na pryd ma gweld beth yw beth go iawn a siwd ma bywyd wedi dod at ei gilydd, siwd ma'r patrwm wedi llwyddo i wau at ei gilydd i neud fi yr hyn odw i heddi.

Ma gweud y stori 'ma wedi bod yn therapi go iawn a gweud y gwir, a lot yn rhatach na thalu am therapi proffesiynol! Gobeithio bod y straeon sydd 'ma o ddiddordeb i chi hefyd. Ma'n siŵr bod lot o straeon sa i wedi eu cynnwys fan hyn – neu i fod yn fanwl gywir, ma lot o straeon dwi wedi dewis peidio eu cynnwys fan hyn! Falle taw dyna'r straeon ddyle fod yn y llyfr nesa! Cawn weld!

Sdim dowt ma'r peth mwya dwi wedi sylweddoli wrth fynd trw'r broses 'ma yw cyment o ddylanwad ma fy nghefndir i wedi ei ga'l arna i. Ma fe wedi bod yn brofiad gwerthfawr i allu sylweddoli hynny a'i werthfawrogi. 'Nes i sôn reit ar y dachre bron faint ro'dd cymeriade'r ardal wedi dylanwadu ar y ffordd dwi wedi rhoi siâp ar y cymeriade dwi wedi eu perfformio mewn operâu amrywiol ar hyd y blynydde. Sai'n siŵr bydden i wedi gwerthfawrogi maint y dylanwad 'na heb sgrifennu'r stori hon. Ac os yw'r fath ddylanwad yn wir am bobol yr ardal, faint yn fwy gwir ma fe am fy nheulu i fy hunan.

Ma fe wedi bod yn braf iawn i sôn am Natalie a'i rhan hi ym mherfformiad bywyd Aled Hall! Nid hi sydd ar fla'n y llwyfan yn y gole mowr, dyw hi erio'd wedi bod, ond allen i byth bod yn y fath le fy hunan hebddi! Dwi wedi sôn yn barod am Elen a'r camera, dod â Twm i Lunden a dod 'da fi i Malta ac ati. Ro'dd Dan yn rhan allweddol o roi'r stori 'ma at ei gilydd hefyd. Sda fi ddim lot o glem am y ffordd ma'r cyfrifiaduron 'ma'n gwitho. Fi'n OK 'da nhw, ond ma clawdd pendant rownd yr OK 'na!

Pan ro'dd e'n dod yn fater o witho ar y geirie ro'dd Alun Gibbard yr awdur yn hala ata i, do'dd dim cliw 'da fi siwd o'dd neud unrhyw sylwade ar ei waith e. A mla'n â Dan i ganol y llwyfan! Ro'dd e'n darllen y gwaith ro'dd Alun wedi sgrifennu, a finne wedyn yn neud unrhyw sylw ro'n i'n meddwl o'dd yn berthnasol. Ro'dd Dan yn marcio'r sylwade 'na ar y cyfrifiadur er mwyn eu hala nhw nôl at Alun, er mwyn iddo fe witho arnyn nhw 'to. Dwi mor falch bod Elen a Dan wedi gallu bod yn rhan o'r gweud yn eu ffordd nhw eu hunen.

Fi wir ddim ishe i hwn i gyd droi mas i fod fel araith yn seremoni'r Oscars, bois bach, nadw glei! Ond fi'n credu bo chi wedi deall y ffordd dwi'n gwerthfawrogi rôl Dad a Mam yn y stori hefyd. Wrth gwrs, yn llythrennol, fydde'r holl beth ddim wedi bod yn bosib heblaw amdanyn nhw – a ma hwnna wir yn swno fel rhwbeth mas o araith yn yr Oscars! Ond ro'dd peidio ca'l y pwyse ganddyn nhw i gario mla'n 'da'r ffarm a cha'l y rhyddid i dorri cwys fy hunan mewn bywyd yn fendith alla i ddim rhoi prish arno fe. Do's dim gwell rhyddid i ga'l na'r rhyddid ma rhieni yn ei roi i'w plant i allu bod yn nhw eu hunain. Ar ddiwedd y dydd, nhw na'th greu yr Aled Jones. Da'th yr Aled Hall wedyn. A 'na chi nawr wedi ca'l stori'r ddou ohonon ni. Hyd yn hyn.

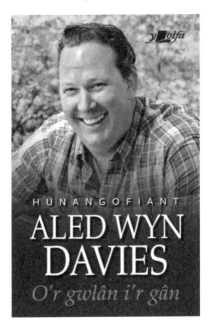

£12.99

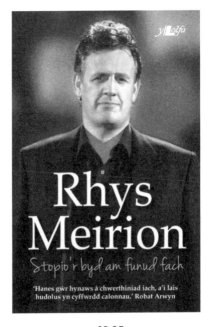

£9.95

£14.99

£9.99

Holwch am bris argraffu!
www.ylolfa.com